工程热力学实验

主　编　张国磊

副主编　孙凤贤　张　鹏　李晓明

主　审　宋福元

哈尔滨工程大学出版社

内容简介

本书内容主要包括绪论、测量误差、不确定度与数据处理、工程热力学实验、附录。绪论中对工程热力学理论研究的基础地位及实验环节的重要性进行了论述,同时总结提出实验要求等内容。第2章补充完善了测量误差、不确定度及数据处理等基本理论和方法。工程热力学实验部分对通用工程热力学实验项目进行了总结,并详细给出了实验目的、实验原理、实验仪器等事项。实验内容以热力学知识理论为基础进行设置。开设有热力学工质物理性质测试、宏观物理现象观察与测试、工质流动性能测试等实验,侧重于对基本理论的理解,加深及基本测试技能的锻炼。附录中给出了数据分度表及常用实验仪器的使用说明。

本书可作为高等院校工程热力学专业的实验教材。

图书在版编目(CIP)数据

工程热力学实验 / 张国磊主编. —哈尔滨 : 哈尔滨工程大学出版社, 2012.4(2020.1 重印)
ISBN 978 - 7 - 5661 - 0339 - 0

Ⅰ.①工… Ⅱ.①张… Ⅲ.①工程热力学 – 实验 – 高等学校 – 教材 Ⅳ.①TK123 – 33

中国版本图书馆 CIP 数据核字(2012)第 058243 号

出版发行	哈尔滨工程大学出版社
社　　址	哈尔滨市南岗区南通大街 145 号
邮政编码	150001
发行电话	0451 – 82519328
传　　真	0451 – 82519699
经　　销	新华书店
印　　刷	哈尔滨市石桥印务有限公司
开　　本	787 mm × 960 mm　1/16
印　　张	8.75
字　　数	185 千字
版　　次	2012 年 4 月第 1 版
印　　次	2020 年 1 月第 5 次印刷
定　　价	19.00 元

http://www.hrbeupress.com
E-mail:heupress@ hrbeu.edu.cn

前　言

本书由哈尔滨工程大学热工研究所在总结多年教学实践经验,和已经使用的《热工实验指导书》讲义的基础上,结合教材《工程热力学》第四版(高等教育出版社)的教学内容,吸取国内同类教科书的精华编撰而成。

此次出版,对原内容和文字作了较大修订和补充,在教材体系结构上进行了较大调整,力求理论完善,实验知识系统化,实验项目与教学教材匹配。

本书补充完善了测量误差、不确定度及数据处理等基本理论和方法。工程热力学课程学习内容主要包括基本定律、工质物理性质及应用,实验内容以热力学知识理论为基础进行设置。开设有热力学工质物理性质测试、宏观物理现象观察与测试、工质流动性能测试等实验,侧重于对基本理论的加深理解及基本测试技能的锻炼。本书所编入的实验项目具有一定通用性,开设工程热力学课程的院校均可按此书实验项目设立实验。本书选用了 8 个实验,部分实验项目还设有选做内容,按照开设 8 学时实验的要求,选用其中部分实验项目即可。

本书凝聚着许多实验教师及实验室技术人员的智慧和劳动,许多从事本课程教学及在实验室工作过的老教师都为本书作出过贡献。本书由张国磊任主编,并编写第 1 章,李晓明编写第 2 章,孙凤贤、张鹏编写第 3 章,由宋福元主审。参加本书编写工作的还有徐长松、陈跃进等教师。

本书在修订过程中参考了部分其他院校的有关教材,从中受益匪浅,在此一并表示衷心的感谢。

由于编者的水平有限,书中难免有不妥之处,敬请读者和同行专家批评指正。

编　者

2012 年 2 月

目　　录

第1章 绪 论

1.1 工程热力学实验的地位和作用

人类在生产和日常生活中,需要各种形式的能源。人类社会进步的起点源自对自然能源的开发和利用,而能源开发和利用的程度又是社会生产力发展的一个重要标志。

自然界中可被人们利用的能源主要有煤炭、石油等矿物燃料的化学能以及风能、水力能、太阳能、地热能、原子能、生物质能等。热能及其工程应用示意图如图 1.1 所示。能量的利用过程实质上是能量的传递和转换过程。据统计,世界上通过热能形式而被利用的能量平均超过 85%,我国则占 90% 以上。因而热能的开发利用对人类社会发展有着重要意义。

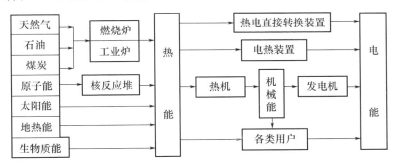

图 1.1 热能及其工程应用

工程热力学的研究对象主要是能量转换,特别是热能转化成机械能的规律和方法,以及提高转化效率的途径,以提高能量利用的经济性。其主要内容包括基本概念和基本定律、能量转化过程、常用工质性质以及化学热力学的有关内容。在现代生产领域中所遇到的大多数技术问题,乃至自然界中的许多现象都与热能的传递与转化有关,而且几乎任何一种形式的能量最终都是以热能的形式耗散于环境之中。同时工程热力学又是能源工程、机械工程、航空航天工程、材料工程、化学工程、生物工程等领域的重要技术基础课,是培养涉及能源特别是与热能相关的各领域中具有创新能力人才的基础课,也是培养 21 世纪工科学生科学素质的公共基础课。

目前工程热力学所采用的研究方法以宏观研究方法为主,经典热力学仍是解释热现象、分析热过程、指导热能工程实践的最基本、最重要、最有力的武器。微观研究方法尽管运用了繁复的数学运算,但所得的理论结果却仍不够精确。因而,工程热力学理论是建立在宏观研究方法基础上的,正是由于宏观热力学的基本定律(包括热力学第一定律、热力学第二定律等)均是没有得到严格数学证明的实践总结规律,因而对工程热力学的实践研究就显得尤为重要。

同时,工程热力学课程具有概念繁多、抽象、不易理解的特点,从高等教育本科课程设置情况统计,该课程教学对象多为大学二年级的本科学生,工程实践经验缺乏也使得教学过程更加困难,因而实验环节对于教学及研究的辅助作用更加重要。

工程热力学实验的主要目的和任务是:

(1)通过对实验现象的观察、分析、研究和对基本物理量的测量,使学生掌握热力学实验研究的基本知识、基本方法和基本技能;

(2)通过实验实践环节,加强学生对于热力学概念的理解和认识,辅助工程热力学课程教学,实践与理论结合,激发学生对热力学研究内容的兴趣;

(3)培养和提高学生从事科学实验的素质,包括理论联系实际、实事求是的科学作风,严肃认真、一丝不苟的工作态度,勤奋努力、刻苦钻研的探索精神,遵守纪律、严格执行科学实验操作规程,相互协作、共同探索的团队合作精神。

1.2　　工程热力学实验的基本内容和要求

工程热力学课程学习内容主要包括基本定律、工质物理性质及应用。实验内容以热力学知识理论为基础进行设置。由此开设有热力学工质物理性质测试、宏观物理现象观察与测试、工质流动性能测试等实验,辅助以化学热力学实验项目,侧重于对基本理论的强化理解及基本测试技能的锻炼。

在实验教学环节中,应倾向于设置综合性实验及学生自主设计性实验、研究性实验,实验项目应具有较强综合性及一定趣味性,着力激发学生兴趣,培养提高实际能力、综合素质、创新意识和创新能力。对于动手能力突出、求知欲强的学生,应具备进行研究性实验的实验条件。

实验教学环节要求如下:

1. 实验预习

实验预习是进行工程热力学实验的首要步骤,为保证实验教学效果,未进行实验预习不得进行实验。

预习内容包括:

(1)认真学习教材知识,明确实验目的及相关理论知识,了解实验测试内容、步骤、方法和注意事项等;

(2)按照实验教材指导完成实验预习报告,包括实验名称、实验日期、实验目的、实验所用主要测试仪器、主要应用原理、实验关键步骤、实验注意事项等,设计完成实验记录表格。

实验指导教师将采用检查、提问等方式对实验预习情况进行检查,达不到要求者将不允许进行实验。

2. 实验操作

（1）进入实验室后，按照实验室规定，按学号和实验座位号（或仪器编号）进行分组，填写"仪器使用及维护情况记录"等实验室登记簿。

（2）实验指导教师将对基本实验环节进行讲解，实验学生应对照实验台上的实验设备认真听讲，了解实验仪器构造、工作原理及操作方法，确认掌握实验仪器的正确操作方法和实验操作步骤。

（3）在实验指导教师检查实验预习报告合格后，经实验指导教师同意，实验学生可进行实验操作，具备测试条件后，方可开始实验测试。在达到实验要求的测试条件后，准确记录测试数据。

（4）实验测试结束后，所记录的实验数据须经实验指导教师检查合格并签字，没有实验指导教师签字的数据视为无效数据，不能用作编写实验报告。实验测试记录的数据为实验原始数据，一经确认签字，不得进行更改。

（5）实验测试数据经指导教师检查合格后，学生应将实验仪器、桌椅等实验室设备整理复原，经教师同意，方可离开实验室。

（6）具体要求还包括：认真阅读并严格遵守实验室规程，注意实验室水电等涉及到安全事项的操作要求，确保操作安全。

3. 编写实验报告

实验报告是对实验过程的全面总结，是交流实验经验、推广实验成果的媒介。正确处理实验数据并完成实验报告，是实验教学环节中提高学生科学研究总结能力、发现问题并解决问题能力的关键步骤，因而认真完成实验报告，才是真正完成了整个实验。写实验报告要以简明扼要的形式将实验结果完整、准确地表达出来，这也是进行科学实验素质培养的必要内容之一。

实验报告要求文字通顺，字迹清晰，叙述简练，数据真实、齐全，表格规范。数据处理要通过多次实践和训练，逐步掌握正确处理数据的方法。

完整的实验报告主要包括以下几点：

（1）实验名称、日期、学号、班级、姓名；

（2）实验目的与要求；

（3）主要仪器的名称、规格、编号；

（4）基本原理与主要公式：列出实验所依据的主要原理、基础理论及计算公式，应掌握公式中各物理量的含义，公式应用范围等；

（5）实验主要内容及简要步骤；

（6）实验数据表格与数据处理（经实验教师签字的原始数据应作为独立附录）：将原始数

据重新整理,根据误差理论认真进行数据处理,并计算得到正确表述的实验结果;

(7)结果分析及讨论:对实验结果进行正确的分析、讨论,回答思考题及教师布置的习题。通过分析讨论发现在测量与数据处理中出现的问题,对实验中发现的现象进行解释,对实验装置及测试方法提出改进意见等。

进行实验操作并不是一定限制在实验项目所要求的实验条件或规定的实验操作范围内,同学们应积极发挥主观能动性,积极思考,进行观测和分析,探讨更优的实验方案,不断改进实验方法,增强自己的实验动手能力。任何在实践过程中解决的问题,都会教给同学们在书本、课堂上无法得到的经验,对于同学们的成长都将大有裨益。

第2章　测量误差、不确定度与数据处理

进行实验不仅是要定性地观察实验现象,更重要的是要对实验过程进行定量地测量,并寻求各宏观物理量之间定性或定量的内在联系。由于测量仪器、测量方法、测量人员等诸多因素的影响,对某一物理量的测量不可能是无限精确的,即测量中的误差是不可避免的。进行实验要掌握测量误差的基本知识,否则就不会获得正确的测量值;不掌握测量结果不确定度的计算,就不能正确表达和评价测量结果;不会处理数据或处理数据方法不当,就无法得到正确的实验结果。

本章主要介绍测量与误差、误差分析、有效数字、测量结果的不确定度评定等基本知识。

2.1　测　量　误　差

2.1.1　测量及其分类

所谓测量就是将待测物理量与选作计量标准的同类物理量进行比较,得出其倍数的过程。倍数值称为待测物理量的数值,选作的计量标准称为单位。因此,表示一个被测对象的测量值需包括数值和单位。

测量方法可以分为直接测量和间接测量。直接测量是指从仪器或量具上直接读出待测量大小的测量方法。例如:用温度计测量温度、用秒表测量时间、用天平测量质量等都属于直接测量。而有些物理量无法进行直接测量,待测量的数值是由若干个直接测量量经过既定的函数关系计算后获得,这样的测量方法称为间接测量。例如:用皮托管测量风速,需要测量流过空气的动压、静压,根据测量仪器测量的平均动静压差来计算得到风速;若想计算流过的空气质量流量,还需要辅助测量空气温度以及空气流动截面面积等物理量,风速及风量都是间接测量量。

物理量是否能直接测量并不是绝对的,随着科学技术的发展,测量仪器的改进,很多原来只能通过间接测量的量,现在也可以用更直接的方式测量了。但其测量的基本原理仍是一致的,目前所进行的实验室实验,一般还是对基本物理量进行直接测量,然后通过间接方式计算得到需要的测量结果,借以掌握和熟练应用基础理论。

根据测量条件是否相同,测量又可分为等精度测量和不等精度测量。在相同的测量条件下进行的一系列测量是等精度测量。同一个人使用同一仪器,采用同样的方法对同一待测量进行多次重复测量,此时可以认为每次测量的条件相同,称之为等精度测量。在对某一待测量

进行多次测量时,测量条件完全不同或部分不同,则各次测量结果的可靠程度不同的多次测量称为不等精度测量。在对某一待测量进行多次测量时,选用的仪器不同,或者测量方法不同,或测量人员不同都属于不等精度测量。事实上,在实验中,保持测量条件完全相同的多次测量是极其困难的。但当条件变化很小,或者某一条件的变化对结果影响不大时,仍可视为等精度测量。进行实验室实验目前都是近似等精度测量。

2.1.2 真值与误差

在一定条件下,任何一个物理量的大小都是客观存在的,都有一个实实在在、不依人的意志转移的客观值,称为真值。测量的目的就是要力图得到被测量的真值,但由于受测量方法、测量仪器、测量条件和观测者水平等诸多因素的限制,只能获得该物理量的近似值。也就是说,一个被测值 x 与真值 x_0 之间总是存在着这种差值,这种差值称为测量误差,即

$$\Delta x = x - x_0 \tag{2-1}$$

由测量所得的一切数据都毫无例外地包含有一定数量的测量误差。没有误差的测量结果是不存在的。测量误差存在于一切测量之中,贯穿于测量过程的始终。随着科学技术水平的不断提高,测量误差可以被控制得越来越小,但永远不会降低到零。

从(2-1)式我们可以看出,测量误差 Δx 显然有正负之分。因为它是指与真值的差值,为与下面定义的相对误差相区别,常称为绝对误差,这就是"绝对误差"的来历。注意,不要把绝对误差与误差的绝对值相混淆。

绝对误差是一个有量纲的数值,它表示测量值偏离真值的程度,一般保留一位有效数字。

一般来讲,真值仅是一个理想的概念,只有通过完善的测量才能获得。但是,严格的完善测量难以做到,故真值就在很多情况下都难以得到,所以绝对误差的概念只有理论上的价值。这正是人们放弃以实际定量操作的"误差"和与绝对误差有关的概念,转而使用不确定度概念的基本原因。

"相对误差"术语也是我们常常听到的,它同样也是一个很难定量表示的词。

测量的相对误差定义为测量误差的绝对值与真值的比值,用 E_x 表示

$$E_x = \frac{|\Delta x|}{x_0} \times 100\% \tag{2-2}$$

相对误差是一个无量纲量,常常用百分比来表示测量准确度的高低,因而相对误差有时也称为百分误差,一般保留一或两位有效数字。

2.1.3 误差的分类

正常测量的误差,按其产生的原因和性质,一般可分为系统误差、随机误差和粗大误差三

大类。这种划分及其相应的概念,虽然与现在广泛采用的描述测量结果的不确定度概念之间不一定存在简单的对应关系,甚至有些概念可能还是不太严格,但是作为思维和理解的基础,还是应该有所了解。

1. 系统误差

在相同条件下,多次测量同一物理量时,误差的大小恒定,符号总偏向一方或误差按照某一确定的规律变化,称为系统误差。系统误差的来源有以下几方面:

(1)仪器误差　这是由于仪器本身的缺陷或没有按照规定条件使用仪器而造成的。如温度计零刻度不在冰点,仪器的水平或铅直未调整,天平不等臂等。

(2)理论误差　这是由于实验方法本身的不完善或测量所依据的理论公式本身的近似性而造成的。例如,推导理论公式时没有把散热和吸热考虑在内,称量轻物体的质量时忽略了空气浮力的影响,单摆周期公式 $T = 2\pi \sqrt{\dfrac{l}{g}}$ 的成立条件是摆角趋于零,但实际做不到。

(3)环境误差　这是由于环境影响和没有按规定的条件使用仪器引起的。例如,标准电池是以 20 V 时的电动势数值为标称值的,若在 30 V 条件下使用,如不加以修正,就引入了系统误差。

(4)个人误差　这是由于观测者本人生理或心理特点造成的,如动态滞后、读数有偏大或偏小的痼癖等。

系统误差按掌握程度分类,可分为以下两种:

(1)已定系统误差　这是指绝对值和符号已经确定,可以估算出的系统误差分量,一般在实验中通过修正测量数据和采用适当的测量方法(如交换法、补偿法、替换法和异号法等)予以消除。如千分尺的零点修正。

(2)未定系统误差　这是指符号和绝对值未能确定的系统误差分量,在实验中常用估计误差极限的方法得出(这与后面引出的 B 类不确定度有大致的对应关系)。如仪表出厂时的准确度指标。它只给出该类仪器误差的极限范围,但实验者使用该仪器时并不知道该仪器误差的确切大小和正负,只知道该仪器的准确程度不会超过仪器误差的极限。对于未定系统误差,在实验中我们一般只考虑测量仪器的(最大)允许误差(简称仪器误差)。

系统误差按数值特征或其表现的规律又可分为以下两种:

(1)定值系统误差　这种误差在测量过程中,其大小和符号恒定不变。例如,天平砝码的标称值不准确等。

(2)变值系统误差　这种误差在测量过程中呈现规律性变化。这种变化,有的可能随时间变化,有的可能随位置变化。如分光计的偏心差所造成的读数误差就是一种周期性变化的系统误差。

系统误差的特征具有确定性和方向性,或者都偏大,或者都偏小。它一般应通过校准测量仪器、改进实验装置和实验方案、对测量结果进行修正等方法加以消除或尽可能减小。

系统误差是测量误差的重要组成部分,在任何一项实验工作和具体测量中,最大限度地消除或减小一切可能存在的系统误差是实验测量工作的主要任务之一,但发现并减小系统误差通常比较困难,需要对整个实验所依据的原理、方法、仪器和步骤等可能引起误差的各种因素进行分析。实验结果是否正确,往往在于系统误差是否已被发现和尽可能地消除,因此对系统误差不能轻易放过。

一般而言,对于系统误差,可以在实验前对仪器进行校准,对实验方法进行改进等;在实验时采取一定的方法对系统误差进行补偿和消除;实验后对实验结果进行修正等。应预见和分析一切可能产生系统误差的因素,并尽可能减小它们。一个实验结果的优劣,往往就在于系统误差是否已经被发现或尽可能消除。在以后实验中,对于已定系统误差,要对测量结果进行修正;对于未定系统误差,则尽可能估算出其误差限制,以掌握它对测量结果的影响。

2. 随机误差

在极力消除或修正一切明显的系统误差之后,在同一条件下多次测量同一物理量时,测量结果仍会出现一些无规律的起伏。这种在同一条件下的多次测量过程中,绝对值和符号以不可预知的方式变化着的测量误差分量称为随机误差,有时也称为偶然误差。随机误差是实验中各种因素的微小变动引起的,主要有如下几点:

(1)实验装置的变动性 如仪器精度不高、稳定性差、测量示值变动等;

(2)观测者本人在判断和估计读数上的变动性 主要指观测者的生理分辨本领、感官灵敏程度、手的灵活程度及操作熟练程度等带来的误差;

(3)实验条件和环境因素的变动性 如气流、温度、湿度等微小的、无规则的起伏变化,电压的波动以及杂散电磁场的不规则脉动等引起的误差。

这些因素的共同影响使测量结果围绕测量的平均值发生涨落变化,这一变化量就是各次测量的随机误差。随机误差的出现,就某一测量而言是没有规律的,当测量次数足够多时,随机误差服从统计分布规律,可以用统计学方法估算出。

3. 粗大误差

实验中,由于实验者操作不当或粗心大意,如看错刻度、记错数或计算错误等都会使测量结果明显地被歪曲。这种由于错误引起的误差称为粗大误差或过失误差。

由定义可以看出,严格地讲,粗大误差应该叫错误,它是能够通过实验者的主观克服的,错误不是误差,要及时发现并在数据处理时予以剔除。而系统误差和随机误差是客观的,不可避免的,只能通过实验条件的改善和试验方法的改进予以减小,它们是由客观环境和人的感官的局限决定的。

2.1.4　随机误差的分布规律与特性

随机误差的出现,就某一测量值来说是没有规律的,其大小和方向都是不能预知的,但对同一物理量进行多次测量时,则发现随机误差的出现服从某种统计规律。理论和实践证明,等精度测量中,当测量次数 n 很大时(理论上是 $n \to \infty$),测量列的随机误差多接近于正态分布(即高斯分布)。标准化的正态分布曲线如图 2.1 所示。图中横坐标 $\Delta x = x_i - x_0$ 表示随机误差,纵坐标表示对应的误差出现的概率密度 $f(\Delta x)$,应用概率论方法可导出

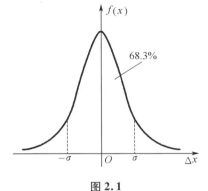

$$f(\Delta x) = \frac{1}{\sigma\sqrt{2\pi}}\exp\left[-\frac{(\Delta x)^2}{2\sigma^2}\right] \qquad (2-3)$$

式中的特征量 σ 为

$$\sigma = \sqrt{\frac{\sum \Delta x_i^2}{n}} \quad (n \to \infty) \qquad (2-4)$$

称为标准误差,其中 n 为测量次数。

图 2.1

服从正态分布的随机误差符合如下特征:

(1)单峰性　绝对值小的误差比绝对值大的误差出现的概率大;

(2)对称性　绝对值相等的正误差和负误差出现的概率相等;

(3)有界性　在一定的测量条件下,绝对值很大的误差出现的概率趋于零;

(4)抵偿性　随机误差的算术平均值随着测量次数的增加而越来越趋于零,即 $\lim\limits_{n \to \infty}\frac{1}{n}\sum\limits_{i=1}^{n}\Delta x_i = 0$ 。也就是说,若测量误差只有随机误差分量,即随着测量次数的增加,测量列的算术平均值越来越趋近于真值。因此增加测量次数,可以减小随机误差的影响。抵偿性是随机误差最本质的特征,原则上具有抵偿性的误差都可以按随机误差的方法处理。

随机误差的大小常用标准误差表示。由概率论可知,服从正态分布的随机误差落在 $[\Delta x, \Delta x + d(\Delta x)]$ 区间内的概率为 $f(\Delta x)d(\Delta x)$ 。由此可见某次测量的随机误差为一确定值的概率为零,即随机误差只能以确定的概率落在某一区间内。概率密度函数 $f(\Delta x)$ 满足下列归一化条件:

$$\int_{-\infty}^{+\infty} f(\Delta x)d(\Delta x) = 1 \qquad (2-5)$$

所以误差出现在 $(-\sigma, +\sigma)$ 区间内的概率 P 就是图 2.1 中该区间内 $f(\Delta x)$ 曲线下的面积

$$P(-\sigma < \Delta x < +\sigma) = \int_{-\infty}^{+\infty} f(\Delta x)\mathrm{d}(\Delta x)$$
$$= \int_{-\sigma}^{+\sigma} \frac{1}{\sigma\sqrt{2\pi}}\exp\left[-\frac{(\Delta x)^2}{2\sigma^2}\right]\mathrm{d}(\Delta x)$$
$$= 68.3\%\qquad\qquad\qquad\qquad (2-6)$$

该积分值可由拉普拉斯积分表查得。

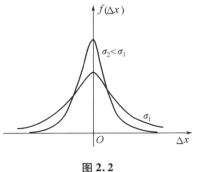

图 2.2

标准误差 σ 与各测量值的误差 Δx 有着完全不同的含义。Δx 是实在的误差值,而 σ 并不是一个具体的测量误差值,它反映在相同条件下进行一组测量后,随机误差出现的概率分布情况,只具有统计意义,是一个统计特征量,其物理意义为代表测量数据和测量误差分布离散程度的特征数。图 2.2 是不同 σ 值时的 $f(\Delta x)$ 曲线。σ 值小,曲线陡且峰值高,说明测量值的误差集中,小误差占优势,各测量值的分散性小,重复性好;反之,σ 值大,曲线较平坦,各测量值的分散性大,重复性差。

式(2-6)表明,作任一次测量,随机误差落在 $(-\sigma, +\sigma)$ 区间的概率为 68.3%。区间 $(-\sigma, +\sigma)$ 称为置信区间,相应的概率称为置信概率。显然,置信区间扩大,则置信概率提高。置信区间取 $(-2\sigma, +2\sigma)$,$(-3\sigma, +3\sigma)$ 时,相应的置信概率 $P(2\sigma)=95.4\%$,$P(3\sigma)=99.7\%$。定义 $\delta=3\sigma$ 为极限误差,其概率含义是在 1 000 次测量中只有 3 次测量的误差绝对值会超过 3σ。由于在一般测量中次数很少超过几十次,因此,可以认为测量误差超出 $-3\sigma \sim 3\sigma$ 范围的概率是很小的,故 3σ 称为极限误差,一般可作为可疑值取舍的判定标准,也称作剔除坏值标准的 3σ 法则。

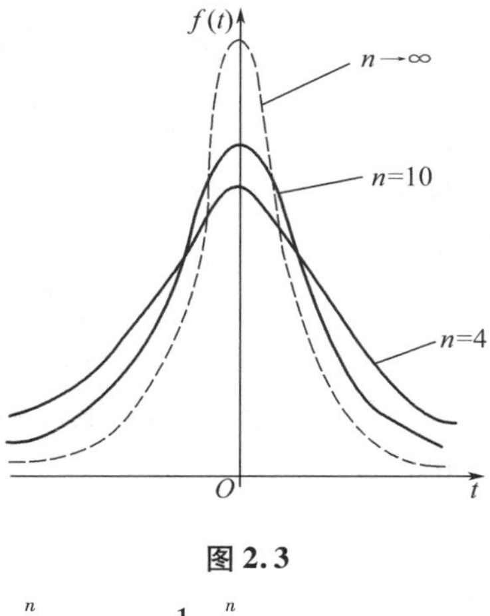

然而,实际测量总是在有限次内进行,如果测量次数 $n \leqslant 20$,误差分布明显偏离正态分布而呈现 t 分布形式。t 分布函数已算成数表,可在数学手册中查到。t 分布曲线如图 2.3 所示。数理统计中可以证明,当 $n \to \infty$ 时,t 分布趋近于正态分布(图 2.3 中的虚线对应于正态分布曲线)。由图可见,t 分布比正态分布曲线变低变宽了;n 越小,t 分布越偏离正态分布。但无论哪一种分布形式,一般都有两个重要的数字特征量,即算术平均值和标准偏差。

设在某一物理量的 n 次等精度测量中,得到测量列为 $x_1, x_2, x_3, \cdots, x_n$,各次测量值的随机误差为 $\Delta x_i = x_i - x_0$。将随机误差相加

图 2.3

$$\sum_{i=1}^{n} \Delta x_i = \sum_{i=1}^{n}(x_i - x_0) = \sum_{i=1}^{n} x_i - nx_0 \quad \text{或} \quad \frac{1}{n}\sum_{i=1}^{n}\Delta x_i = \frac{1}{n}\sum_{i=1}^{n} x_i - x_0 \quad (2-7)$$

用 $\bar{x}$ 代表测量列的算术平均值

$$\bar{x} = \frac{1}{n}(x_1 + x_2 + \cdots + x_n) = \frac{1}{n}\sum_{i=1}^{n} x_i \qquad (2-8)$$

式(2-7)改写为

$$\frac{1}{n}\sum_{i=1}^{n} \Delta x_i = \bar{x} - x_0 \qquad (2-9)$$

根据随机误差的抵偿特征,即 $\lim\limits_{n\to\infty} \dfrac{1}{n}\sum\limits_{i=1}^{n} \Delta x_i = 0$,于是

$$\bar{x} \to x_0 \qquad (2-10)$$

可见,当测量次数相当多时,系统误差忽略不计时的算术平均值 $\bar{x}$ 最接近于真值,称为测量的最佳值或近真值。我们把测量值与算术平均值之差称为偏差(或残差)

$$\nu_i = x_i - \bar{x} \qquad (2-11)$$

当测量次数 n 有限时,测量列的算术平均值仍然是真值 x_0 的最佳估计值。证明如下:假设最佳值为 X,并用其代替真值 x_0,各测量值与最佳值间的偏差为 $\Delta x_i' = x_i - X$,按照最小二乘法原理,若 X 是真值的最佳估计值,则要求偏差的平方和 S 应最小,即

$$S = \sum_{i=1}^{n} (x_i - X)^2 \to \min \qquad (2-12)$$

由求极值的法则可知, S 对 X 的微商应等于零

$$\frac{\mathrm{d}S}{\mathrm{d}X} = 2\sum_{i=1}^{n} (x_i - X) = 0 \qquad (2-13)$$

于是

$$nX - \sum_{i=1}^{n} x_i = 0 \qquad (2-14)$$

即

$$X = \frac{1}{n}\sum_{i=1}^{n} x_i = \bar{x} \qquad (2-15)$$

所以测量列的算术平均值 $\bar{x}$ 是真值 x_0 的最佳估计值。

由误差理论可以证明某次测量的标准偏差的计算式为

$$S_x = \sigma_x = \sqrt{\frac{\sum\limits_{i=1}^{n}(x_i - \bar{x})^2}{n-1}} = \sqrt{\frac{\sum\limits_{i=1}^{n}(\Delta x)^2}{n-1}} \qquad (2-16)$$

这一公式称为贝塞尔公式。其意义表示某次测量值的随机误差在 $-\sigma_x \sim +\sigma_x$ 的概率为68.3%,也即表示测量值 $x_1, x_2, x_3, \cdots, x_n$ 及其随机误差的离散程度。标准偏差 S_x(或 σ_x)小表示测量值密集,即测量的精密度高;标准偏差 S_x(或 σ_x)大表示测量值分散,即测量的精密度低。

$\bar{x}$ 是被测量的最佳估计值,但它与真值之间仍存在误差。由随机误差的抵偿性可知, $\bar{x}$ 的

误差理应比任何一次单次测量值的误差更小些。

用平均值的标准偏差表示测量算术平均值的随机误差的大小程度,数理统计理念可以证明

$$S_{\bar{x}} = \sigma_{\bar{x}} = \frac{\sigma_x}{\sqrt{n}} = \sqrt{\frac{\sum_{i=1}^{n} (x_i - \bar{x})^2}{n(n-1)}} \qquad (2-17)$$

由式(2-17)可知,S_x 随着测量次数的增加而减小,似乎 n 越大,算术平均值越接近于真值。实际上,在 $n > 10$ 以后,S_x 的变化相当缓慢,另外测量精度主要还取决于仪器的精度、测量方法、环境和测量者等因素,因此在实际测量中,单纯地增加测量次数是没有必要的。

2.1.5　测量的精密度、正确度和准确度

测量的精密度、正确度和准确度都是评价测量结果的术语,但目前使用时其含义并不尽一致,以下介绍较为普遍采用的含义。

(1)精密度　精密度是指对同一被测量作多次重复测量时,各次测量值之间彼此接近或分散的程度。它是对随机误差的描述,反映随机误差对测量的影响程度。随机误差小,测量的精密度就高。

(2)正确度　正确度是指被测量的总体平均值与其真值接近或偏离的程度。它是对系统误差的描述,反映系统误差对测量的影响程度。系统误差小,测量的正确度就高。

(3)准确度　准确度是指各测量值之间的接近程度和其总体平均值对真值的接近程度。它包括了精密度和正确度两方面的含义。它反映随机误差和系统误差对测量的综合影响程度。只有随机误差和系统误差都非常小时,才能说测量的准确度高。

"准确度"是国际上计量规范较常使用的标准术语。

2.2　不确定度评定与测量结果的表示

2.2.1　测量不确定度的引入

根据误差的定义,由于真值一般不可能准确知道,因而测量误差也不可能确切获知。既然误差无法按照其定义式精确求出,那么现实可行的办法就只能根据测量数据和测量条件进行推算(包括统计推算和其他推算),求得误差的估计值。显然,由于误差是未知的,因此不应再将任何一个确定的已知值称作误差。误差的估计值或数值指标应采用另一个专门名称,这个名称就是不确定度。

引入不确定度可以对测量结果的准确程度做出科学合理的评价。不确定度越小,表示测

量结果与真值越靠近,测量结果越可靠;反之,不确定度越大,测量结果与真值的差别越大,它的可靠性越差,使用价值就越低。

用不确定度一词描述测量结果的准确度出现于 1956 年出版的 Introduction to the Theory of Error 一书中。1980 年,国际计量局(BIPM)起草了一份《实验不确定度的说明》的建议书 INC – 1(1980),国际计量委员会(CIPM)在 1981 年原则上通过了这一建议书。从此以后,国际和国内的计量检定与对比等工作领域都在积极地研究与采用国际建议。近几年,不确定度表示体系经历了系统化、完善化和不断推广的过程。如 1993 年,国际标准化组织(ISO)等 7 个国际组织联名发表《测量不确定度表达指南》等文件;许多工业化国家相继颁布了不确定度表达的国家标准;我国也在国家标准文件和计量规范中逐步采用了不确定度的表达方式。1999 年,我国计量科学研究院经国家质量技术监督局批准,发布了《JJF1059—1999 测量不确定度评定与表示》(以下简称《评定与表示》)的中国国家计量技术规范,明确提出了测量结果的最终形式要用不确定度来进行评定与表示,由此不确定度在我国开始进入推广使用阶段。近几年来,很多院校已在实验教学中采用不确定度来评定实验结果,但许多教材关于不确定度的评定方法和测量结果的表示不统一,学生的疑问也较多,而最新的《评定与表示》关于不确定度的计算对物理实验的初学者来说又显得十分复杂。本书在介绍有关知识时采用了一定程度的简化处理,使其具有较强的可操作性。

2.2.2　测量不确定度的基本概念

1. 测量不确定度的定义

测量不确定度按《评定与表示》被定义为:"表征合理地赋予被测量之值的分散性、与测量结果相联系的参数。"测量不确定度,如误差有系统误差、随机误差一样,也由多个分量组成,并且这些分量可用统计方法、概率分布、经验判断等来评定,为一个正值。或者说不确定度是种表征被测量值所处范围的评定,真值以一定置信概率落在测量平均值附近的一个范围内。即 $(x = \bar{x} \pm u)$(置信概率 P),u 为测量不确定度,区间 $(\bar{x} - u, \bar{x} + u)$ 称为置信区间。表达式的含义是被测量的真值以一定的置信概率 P 落在区间 $(\bar{x} - u, \bar{x} + u)$ 内。

2. 测量不确定度的分类

用标准偏差表示测量结果的不确定度,称为标准不确定度,以 u 表示。以标准差的倍数表示的不确定度称为扩展不确定度或展伸不确定度,也可称为总不确定度,以 U 表示。标准不确定度依其评定方法分为 A,B 两类:能用对观测列进行统计分析方法计算者,称为 A 类标准不确定度,以 u_A 表示;用不同于 A 类的其他方法计算者,称为 B 类标准不确定度,以 u_B 表示。各标准不确定度分量的合成称为合成标准不确定度,以 u_C 表示。

不确定度具体分类如下：

$$不确定度\begin{cases} 标准不确定度(u)\begin{cases} A\,类标准不确定度(u_A) \\ B\,类标准不确定度(u_B) \\ 合成标准不确定度(u_C) \end{cases} \\ 扩展不确定度(U)（总不确定度）\end{cases}$$

2.2.3　用测量不确定度评定测量结果的简化计算方法

1. 直接测量量不确定度的评定

（1）多次直接测量量的标准不确定度的评定

①A 类标准不确定度评定　　对直接测量来说，如果在相同条件下对某物理量 X 进行了 n 次独立重复测量，其测量值分别为 $x_1,x_2,x_3,\cdots,x_n$，用 $\bar{x}$ 来表示平均值，则

$$\bar{x} = \frac{1}{n}(x_1 + x_2 + x_3 + \cdots + x_n) = \frac{1}{n}\sum_{i=1}^{n} x_i \qquad (2-18)$$

$s(x_i)$ 为某次测量的实验标准差，由贝塞尔公式计算得到

$$s(x_i) = \sqrt{\frac{1}{n-1}\sum_{i=1}^{n}(x_i - \bar{x})^2} \qquad (2-19)$$

$s(\bar{x})$ 为平均值的实验标准差，其值为

$$s(\bar{x}) = \frac{s(x_i)}{\sqrt{n}} \qquad (2-20)$$

由于多次测量的平均值比一次测量值更准确，随着测量次数的增多，平均值收敛于期望值。因此，通常以样本的算术平均值 $\bar{x}$ 作为被测量值的最佳值，以平均值的实验标准差 $s(\bar{x})$ 作为测量结果的 A 类标准不确定度。所以

$$u_A = s(\bar{x}) = \sqrt{\frac{1}{n(n-1)}\sum_{i=1}^{n}(x_i - \bar{x})^2} \qquad (2-21)$$

当测量次数 n 不是很少时，对应的置信概率为 68.3%，当测量次数 n 较少时，测量结果偏离正态分布而服从 t 分布，则 A 类不确定度分量 u_A 内 $s(\bar{x})$ 乘以因子 t_P 求得。即

$$u_A = t_P s(\bar{x}) \qquad (2-22)$$

t_P 因子与置信概率和测量次数有关，可由表 2.1 查出。

表 2.1

测量次数 n	2	3	4	5	6	7	8	9	10	20	30	∞
$P = 0.683$	1.84	1.32	1.20	1.14	1.11	1.09	1.08	1.07	1.06	1.03	1.02	1.00
$P = 0.95$	12.7	4.3	3.18	2.78	2.57	2.45	2.36	2.31	2.26	2.09	2.05	1.96

在大多数普通物理实验教学中，为了简便，一般就取 $t_P = 1$，这样，A 类不确定度可简化计算为 $u_A = s(\bar{x})$，但 u_A 与 $s(\bar{x})$ 概念不同。

②B 类标准不确定度评定　由于 B 类不确定度在测量范围内无法用统计方法评定，一般可根据经验或其他有关信息进行估计。从物理实验教学的实际出发，一般只考虑由仪器误差引起的 B 类不确定度 u_B 的计算。在某些情况下，有的依据仪器说明书或鉴定书，有的依据仪器的准确度等级，有的则粗略地依据仪器的分度或经验，从这些信息可以获得该项系统误差的极限 Δ（有的标出容许误差或示值误差），而不是标准不确定度。它们之间的关系为

$$u_B = \frac{\Delta}{C} \tag{2 - 23}$$

式中，C 为置信概率 $P = 0.683$ 时的置信系数，对仪器的误差服从正态分布、均匀分布、三角分布，C 分别为 3，$\sqrt{3}$，$\sqrt{6}$。在缺乏信息的情况下，对大多数普通物理实验测量，可认为一般仪器误差概率分布函数服从均匀分布，即 $C = \sqrt{3}$。物理实验中 Δ 主要与未定的系统误差有关，而未定系统误差主要是来自于仪器误差 Δ_{ins}（或 $\Delta_{仪}$），用仪器误差 Δ_{ins} 代替 Δ，所以一般 B 类不确定度可简化计算为

$$u_B = \frac{\Delta_{ins}}{\sqrt{3}} \tag{2 - 24}$$

常用仪器的 Δ_{ins} 值见表 2.2。

表 2.2　常用仪器的 Δ_{ins} 值

仪器名称	Δ_{ins}	仪器名称	Δ_{ins}
米尺	0.5 mm	计时器	仪器最小读数(1 s,0.1 s,0.01 s)
卡尺	0.05 mm 或 0.02 mm	物理天平	0.05 g
千分尺	0.005 mm	电桥	K% R(K—准确度或级别,R—示值)
分光计	1′或 30″ (最小分度值)	电位差计	K% V(K—准确度或级别,V—示值)
读数显微镜	0.005 mm	电阻箱	K% R(K—准确度或级别,R—示值)
各类数字仪表	仪器最小读数	电表	K% M(K—准确度或级别,M—量程)

③合成标准不确定度评定。对于受多个误差来源影响的某直接测量量,被测量量 X 的不确定度可能不止一项,设其有 k 项,但各不确定度分量彼此独立,其协方差为零,则用方和根方式合成,称合成标准不确定度为 u_C,

$$u_C = \sqrt{\sum_{i=1}^{n} u_i^2} \qquad (2-25)$$

式中,u_i 可以是 A 类评定标准不确定度,也可以是 B 类评定标准不确定度或者两者都有。

事实上,在大多数情况下,我们遇到的每一类不确定度只有一项,因此,合成标准不确定度计算可简化为

$$u_C = \sqrt{u_A^2 + u_B^2} = \sqrt{s(\bar{x})^2 + \frac{\Delta_{仪}^2}{3}} \qquad (2-26)$$

式中对应的置信概率为 $P = 0.683$。

评价测量结果,有时也写出相对不确定度(u_r),相对不确定度常用百分数表示

$$u_r = \frac{u_C}{\bar{x}} \times 100\% \qquad (2-27)$$

(2)单次直接测量的标准不确定度的评定

在物理实验中,常常由于条件不许可,或测量准确度要求不高等原因,对一个物理量只进行一次直接测量,这时,不能用统计方法求标准偏差,不确定度计算可简化为

$$u_A = 0, \quad u_B = \Delta_{仪}/\sqrt{3}, \quad u_C = u_B$$

2. 误差的传递、间接测量量不确定度的评价

(1)误差传递的基本公式

在科学实验和生产实践中,常有许多量是不能进行直接测量,或者进行直接测量有困难,或者直接测量难以保证测量精度,因而要用到间接测量,这就是误差的传递。

设 N 为间接测量量,且有

$$N = f(x, y, z, \cdots) \qquad (2-28)$$

式中,$x, y, z, \cdots$ 是彼此独立的直接测量量,对式(2-28)求全微分

$$dN = \frac{\partial f}{\partial x}dx + \frac{\partial f}{\partial y}dy + \frac{\partial f}{\partial z}dz + \cdots \qquad (2-29)$$

式(2-29)表示,当 $x, y, z, \cdots$ 有增量 $dx, dy, dz, \cdots$ 时,N 也有增量。如将 $dx, dy, dz, \cdots, dN$ 看成误差,此式即为误差传递公式。

有时把式(2-28)取自然对数后再微分

$$\frac{dN}{N} = \frac{\partial \ln f}{\partial x}dx + \frac{\partial \ln f}{\partial y}dy + \frac{\partial \ln f}{\partial z}dz + \cdots \qquad (2-30)$$

式(2-28)和式(2-29)就是误差传递的基本公式。可见,一个量(如 x)的测量误差(dx)对

于总误差(dN)的贡献,不仅取决于其本身误差的大小,还取决于误差传递系数$\left(\dfrac{\partial f}{\partial x}\ 或\ \dfrac{\partial \ln f}{\partial x}\right)$。

(2)间接测量量不确定度的评定

设间接测量量 N 是由直接测量量 $x,y,z,\cdots$,通过函数关系 $N = f(x,y,z,\cdots)$ 计算得到的,其中 $x,y,z,\cdots$ 是彼此独立的直接测量量。设 $x,y,z,\cdots$ 的不确定度分别为 $u_x,u_y,u_z,\cdots$,它们必然会影响间接测量结果,使 N 也有相应的不确定度。由于不确定度是微小的量,相当于数学中的"增量",因此间接测量的不确定度的计算公式与数学中的全微分公式类似。考虑到用不确定度代替全微分,以及不确定度合成的统计性质,可以用下式来简化计算间接测量量 N 的不确定度 u_N:

$$u_N = \sqrt{\left(\frac{\partial f}{\partial x}\right)\cdot u_x^2 + \left(\frac{\partial f}{\partial y}\right)\cdot u_y^2 + \left(\frac{\partial f}{\partial z}\right)\cdot u_z^2 + \cdots} \tag{2-31}$$

如果我们先取对数,再求全微分可得下面另一简化计算式:

$$\frac{u_N}{N} = \sqrt{\left(\frac{\partial \ln f}{\partial x}\right)^2\cdot u_x^2 + \left(\frac{\partial \ln f}{\partial y}\right)^2\cdot u_y^2 + \left(\frac{\partial \ln f}{\partial z}\right)^2\cdot u_z^2 + \cdots} \tag{2-32}$$

由式(2-31)和式(2-32)知,间接测量量 N 的不确定度与各直接测量量的不确定度 $u_x,u_y,u_z,\cdots$ 及各不确定度传递系数 $\dfrac{\partial f}{\partial x},\dfrac{\partial f}{\partial y},\dfrac{\partial f}{\partial z},\cdots$ 有关。表 2.3 列出常用函数的不确定度合成公式。

表 2.3　常用函数的不确定度合成公式

函数式	不确定度合成公式
$N = x \pm y$	$u_N = \sqrt{u_x^2 + u_y^2}$
$N = x \cdot y$ 或 $N = \dfrac{x}{y}$	$u_{Nr} = \dfrac{u_N}{N} = \sqrt{\left(\dfrac{u_x}{x}\right)^2 + \left(\dfrac{u_y}{y}\right)^2}$
$N = kx$ （k 为常数）	$u_N = ku_x,\ u_{Nr} = \dfrac{u_N}{N} = \dfrac{u_x}{x} = u_{xr}$
$N = x^n$ （$n = 1,2,3,\cdots$）	$u_{Nr} = \dfrac{u_N}{N} = n\cdot\dfrac{u_x}{x}$
$N = \sqrt[n]{x}$	$u_{Nr} = \dfrac{u_N}{N} = \dfrac{1}{n}\cdot\dfrac{u_x}{x}$
$N = \dfrac{x^k y^m}{z^n}$	$u_{Nr} = \dfrac{u_N}{N} = \sqrt{k^2\left(\dfrac{u_x}{x}\right)^2 + m^2\left(\dfrac{u_y}{y}\right)^2 + n^2\left(\dfrac{u_z}{z}\right)^2}$
$N = \sin x$	$u_{Nr} = |\cos x|\cdot u_x$
$N = \ln x$	$u_{Nr} = \dfrac{1}{x}\cdot u_x$

当间接测量所依据的数学公式较为复杂时,计算不确定度的过程也较为烦琐。如果间接测量量 N 是各直接测量量 $x,y,z,\cdots$ 的和或差函数,则利用式(2 – 31)来计算以比较方便;如果间接测量量 N 是各直接测量量 $x,y,z,\cdots$ 的积或商函数,则利用式(2 – 32)先计算 N 的相对不确定度 $\dfrac{u_N}{N}$,然后通过相对不确定度 u_N 再计算比较方便。

综上所述,物理实验中的不确定度可简化计算为:对直接单次测量,$u_A = 0$,$u_B = \Delta_{ins}/\sqrt{3}$,$u_C = u_B$;直接多次测量,先求测量列算术平均值 $\bar{x}$,再求平均值的实验标准偏差 $s(\bar{x})$,$u_A = s(\bar{x})$,$u_B = \Delta_{ins}/\sqrt{3}$,$u_C = \sqrt{u_A^2 + u_B^2}$;对间接测量,先求各直接测量量的不确定度,再由式(2 – 31)或式(2 – 32)进行计算,最后把结果表示成 $N = \bar{N} \pm u_N$ 的形式。

例 1　采用感量为 0.1 g 的物理天平称量某物体的质量,其读数值为 35.41 g,求物体质量的测量结果。

解　采用物理天平称物体的质量,重复测量读数值往往相同,故一般只需进行单次测量即可。单次测量的读数即为近似真实值,$m = 35.49$ g。

物理天平的"示值误差"通常取感量的一半,并且作为仪器误差,即

$$u_B = \frac{\Delta_{ins}}{\sqrt{3}} = 0.05/\sqrt{3} = 0.029 = u_C$$

测量结果为

$$m = (35.49 \pm 0.03) \text{ g}$$

在例 1 中,因为是单次测量($n = 1$),合成不确定度 $u_C = \sqrt{u_A^2 + u_B^2}$ 中的 $u_A = 0$,所以 $u_C = u_B$,即单次测量的合成不确定度等于非统计不确定度。但是这个结论并不表明单次测量的 u 就小,因为 $n = 1$ 时,s_x 发散。其随机分布特征是客观存在的,测量次数 n 越大。置信概率就越高,因而测量的平均值就越接近真值。

例 2　已知某铜环的外径 $D = (2.995 \pm 0.006)$ cm,内径 $d = (0.997 \pm 0.003)$ cm,高度 $H = (0.9516 \pm 0.005)$ cm,试求该铜环的体积及其不确定度,并写出测量结果表达式。

解　　　　　$V = \dfrac{\pi}{4}(D^2 - d^2)H = \dfrac{\pi}{4}(2.995^2 - 0.997^2) \times 0.9516 = 5.961 \text{ cm}^3$

$$\ln V = \ln \frac{\pi}{4} + \ln(D^2 - d^2) + \ln H$$

$$\frac{\partial \ln V}{\partial D} = \frac{2D}{D^2 - d^2}, \frac{\partial \ln V}{\partial d} = -\frac{2d}{D^2 - d^2}, \frac{\partial \ln V}{\partial H} = \frac{1}{H}$$

$$\frac{u_V}{V} = \sqrt{\left(\frac{2D}{D^2 - d^2}\right)^2 \cdot u_D^2 + \left(-\frac{2d}{D^2 - d^2}\right)^2 \cdot u_d^2 + \left(\frac{1}{H}\right)^2 \cdot u_H^2}$$

$$= \sqrt{\left(\frac{2 \times 2.995 \times 0.006}{2.995^2 - 0.997^2}\right)^2 + \left(\frac{2 \times 0.997 \times 0.003}{2.995^2 - 0.997^2}\right)^2 + \left(\frac{0.005}{0.9516}\right)^2}$$

$$= 0.0046$$

$$u_V = 0.004\ 6 \times V = 0.004\ 6 \times 5.961 = 0.03\ \text{cm}^3$$

所以

$$V = (5.961 \pm 0.03)\ \text{cm}^3$$

由于不确定度本身只是一个估计值,因此,在一般情况下,表示最后结果的不确定度只取一位有效数字,最多不超过两位(首位为 1 或 2 时保留两位)。

2.2.4　不确定度与误差的关系

不确定度和误差既是两个不同的概念,有着根本的区别,但又是相互联系的。不确定度和误差都是由测量过程的不完善引起的,而且不确定度概念和体系是在现代误差理论的基础上建立和发展起来的。如前所述,根据传统误差的定义,由于真值一般无从得知,则测量误差一般也是未知的,是不能准确得知的,误差是一个理想的概念。不确定度则是表示由于测量误差的存在而对被测量值不能确定的程度,反映了可能存在的误差分布范围,表征被测量的真值所处的量值范围的评定,所以不确定度能更准确地用于测量结果的表示。

应当指出,不确定度概念的引入并不意味着“误差”一词需放弃使用。实际上,误差仍可用于定性地描述理论和概念的场合。我们没有必要将误差理论改为不确定度理论,或将误差源改为不确定度源。某些术语,如误差分析和不确定度分析等都是可以并存的,可以保留原来的名称,而在具体计算和表示计算结果时,应改为不确定度。总之,凡是涉及具体数值的场合均应使用不确定度来代替误差,以避免出现将已知值赋予未知量的矛盾。

2.3　有效数字及其运算法则

2.3.1　有效数字的基本概念

任何一个物理量,其测量结果总是有误差的,测量值的位数不能任意地取舍,要由不确定度来决定,即测量值的末位数与不确定度的末位数对齐。如算得体积的测量值 $\overline{V} = 5.961\ \text{cm}^3$,其不确定度 $u_V = 0.04\ \text{cm}^3$,由不确定度的定义及 u_V 的数值可知,测量值在小数点后的百分位上已经出现误差,因此 $\overline{V} = 5.961\ \text{cm}^3$ 中的“6”已是有误差的存疑数,其后面一位“1”已无保留的意义,所以测量结果应写为 $\overline{V} = (5.96 \pm 0.04)\ \text{cm}^3$。另外,数据计算都有一定的近似性,计算时既不必超过原有测量准确度而取位过多,也不能降低原测量准确度,即计算的准确性和测量的准确性要相适应。所以在数据记录、计算以及书写测量结果时,必须按有效数字及其运算法则来处理。熟练地掌握这些知识,是普通物理实验的基本要求之一,也为将来科学处理数据打下基础。

在表示测量结果的数字中，一般只保留1位欠准确数，即数字的最后一位为欠准确数，其余均为准确数。正确而有效地表示测量和实验结果的数字称为有效数字，它是由若干位准确数字和1位欠准确数字（可疑数字）构成的，这些数字的总位数称为有效位数。有效数字与待测量和测量仪器密切相关，它既反映了待测量的量值大小，同时也反映了所用仪器的精度，因而有效数字与数学上纯"数字"有本质的区别。

2.3.2 直接测量的读数原则

直接测量读数应反映出有效数字，一般应估读到测量器具最小分度值以下的1位欠准确数。例如，用毫米刻度的米尺测量某物体的长度，如图2.4(a)所示，$L=1.67$ cm。"1.6"是从米尺上读出的"准确"数，"7"是从米尺上估读的"欠准确"数，是含有误差的，但是有效的，所以读出的是3位有效数字。若如图2.4(b)所示时，$L=2.00$ cm，仍是3位有效数字，而不能读写为$L=2.0$ cm或$L=2$ cm，因为这样表示分别只有2位或1位有效数字。可见，一个物理量的数值与数学上的数有着不同的含义。在数学意义上$2.00=2.0$，但在物理测量中（如上述长度测量）2.00 cm$\neq 2.0$ cm，因为2.00 cm中的前两位"2"和"0"是准确数，最后一位"0"是欠准确数，共有3位有效数字。而2.0 cm则有2位有效数字。实际上这两种写法表示了两种不同精度的测量结果，所以在记录实验测量数据时，数字末尾或数字中间的零是有效数字，不能随意增减。

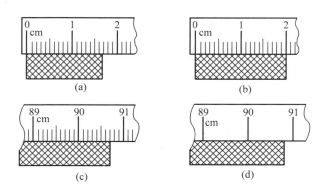

图2.4　直接测量的有效数字

如图2.4(c)所示，$L=90.70$ cm有4位有效数字。若是改用厘米刻度米尺测量该长度时，如图2.4(d)所示，则$L=90.7$ cm，只有3位有效数字。所以，有效数字位数的多少既与使用仪器的精度有关,又与被测量本身的大小有关。一般情况下应按仪器或量具的最小分度值决定测量值的有效数字位数,通常应估读到最小分度值的 1/10,1/5 或 1/2 分度(视人眼对最小刻度的分辨力而定)。对于数字式仪表,所显示的数字均为有效数字,无需估读,误差一般出现在最末一位。

因此,有效数字位数是仪器精度和被测量本身大小的客观反映,不能随意增减。在单位换算或交换小数点位置时,不能改变有效数字位数,而应运用科学记数法,把不同单位用 10 的不同幂次表示。例如,1.2 m 不能写作 120 cm,1 200 mm 或 120 000 0 μm,应记为

$$1.2 \text{ m} = 1.2 \times 10^2 \text{ cm} = 1.2 \times 10^3 \text{ mm} = 1.2 \times 10^6 \text{ μm}$$

它们都是两位有效数字。

反之,把小单位换成大单位,小数点移位,在数字前出现的“0”不是有效数字,如 2.42 mm = 0.242 cm = 0.002 42 m 或 2.42 mm = 2.42×10^{-1} cm = 0.242×10^{-3} m,它们都是 3 位有效数字。

2.3.3　有效数字运算规则

在有效数字运算过程中,准确数字与准确数字之间进行四则运算,仍为准确数字。可疑数字与准确数字或可疑数字之间进行运算,结果为可疑数字,但是运算中的进位数可视为准确数字,在四则运算中,一定要服从加减法和乘除法等运算规则。

有效数字运算总的原则是:运算结果只保留 1 位欠准确数字。

1. 加减运算

当几个有效数字参与加减或加减混合运算时,所得结果在小数点后所保留的位数与诸数中小数点后位数最少者相同,即称为尾数对齐(严格来说,所得结果的欠准位应与诸数中欠准位数数量级最高的一位保持一致)。下面例题中在数字下加短线的为欠准确数字。

例 3　12.3 + 5.213 + 0.15 的计算结果?

解　上式各数值小数点位数最少者为 12.3(小数点后只有 1 位),所以结果的有效数字小数点后保留 1 位,即 12.3 + 5.213 + 0.15 = 17.7。上述运算用竖式更加明了。

$$
\begin{array}{r}
12.3 \\
5.213 \\
+\ 0.15 \\
\hline
17.663
\end{array}
$$

2. 乘除运算

多个量相乘除运算结果的有效数字位数一般与参与运算各量中有效数字位数最少的相同,与小数点无关,即称为位数对齐。

例 4 562.31×12.1 的计算结果应保留几位数字?

解 其计算过程如下:

$$
\begin{array}{r}
5\,6\,2.3\,1 \\
\times\quad 1\,2.1 \\
\hline
5\,6\,2\,3\,1 \\
1\,1\,2\,4\,6\,2 \\
5\,6\,2\,3\,1 \\
\hline
6\,8\,0\,3.9\,5\,1
\end{array}
$$

按照只保留 1 位欠准确数字的原则 562.31×12.1 = 6.80×10³ 为 3 位有效数字。这与上面叙述的乘除运算法则是一致的。即在该例中,5 位有效数字(562.31)与 3 位有效数字(12.1)相乘,计算结果应为 3 位有效数字,即与有效数字位数少的相同。

除法是乘法的逆运算,取位法则与乘法相同,这里不再举例说明。

3. 乘方、立方、开方运算

运算结果的有效数字位数与原数的有效位数相同。

4. 对数、三角函数运算

前面介绍的有效数字四则运算法则是根据不确定度合成理论和有效数字的定义总结出来的。所以,对数、三角函数的计算必须按照不确定度传递公式,先求出函数值的不确定度,然后根据测量结果最后一位数字与不确定度对齐的原则来决定有效数字。

例 5 $a = 3\,068 \pm 2$,求 $y = \ln a = ?$

解 按照不确定度传递公式

$$u_y = \frac{1}{a}u_a = \frac{1}{3\,068} \times 2 = 0.000\,7$$

所以

$$y = \ln a = 8.028\,8$$

或

$$y = 8.028\,8 \pm 0.000\,7$$

5. 常数

公式中的常数,如 π,e,$\sqrt{2}$等,它们的有效数字位数是无限的,运算时一般根据需要,比参与运算的其他量中有效数字位数最少的量多取 1 位有效数字即可。例如:$S = \pi r^2$,$r = 6.042$ cm,π 取为 3.1416,所以 $S = 114.7$ cm^2。

如果用计算器进行计算时,为了简便、迅速,运算过程就在计算器上连续进行,但结果要按运算规则取有效数字位数。

应该指出的是,上述的运算规则不是绝对的。一般说来,为了避免在运算过程中因数字的取舍而引入计算误差,则在运算过程中的中间结果应多保留 1 位数字为妥,但最后结果仍应删去,以间接测量值最后一位数字与不确定度对齐的原则为准。

2.3.4　测量结果数字取舍规则

数字的取舍采用"四舍六入五凑偶"规则,即欲舍去数字的最高位为 4 或 4 以下的数,则"舍";若为 6 或 6 以上的数,则"入";被舍去数字的最高位为 5 时,前一位数为奇数则"入",前一位数为偶数则"舍",即通过取舍,总是把前一位凑成偶数。其目的在于使"入"和"舍"的机会均等,以避免用"四舍五入"规则处理较多数据时,因入多舍少而引入计算误差。

例如,将下列数据保留到小数点后第二位:

8.086 1→8.09,　8.084 5→8.08,　8.085 0→8.08,　8.075 4→8.08,　8.065 6→8.06

有效数字运算规则和数字取舍规则的采用,目的是保证测量结果的准确度不因数字取舍不当而受到影响。同时,也可以避免因保留一些无意义的欠准确数字而做无用功,浪费时间和精力。现在由于计算器的应用已十分普及,计算过程多取几位数字也并不花费多少精力,不会给计算带来什么困难。但是,实验结果的正确表达仍然值得重视,实验者应该能正确判断实验结果是几位有效数字,正确结果该怎么表示。

2.4　数　据　处　理

除某些观察实验外,对某一物理过程的实验研究,其直接结果是取得一系列的原始数据。一般地说,这些数据必须经过适当中间环节的处理、计算和转换,才能得到所需要的、表征研究过程的变量之间的依从关系。例如,在传热实验中,当用电加热器加热并用热电偶测量表面温度时,实验测量得到的原始数据,将是一系列的加热器端电压和电流值以及相应状态下的热电势值。它们不能直接显示出人们所需要的结果。也就是说,不能用这些测得的原始数据直接表征所研究过程的变量依从关系。只有将热电偶的热电势转换成相应的温度,并经过计算将热电偶的端电压和电流值折算成功率,进而折算成热流时,才能得到我们所预期的实验数据——温度和热流。

将预期的实验数据进行整理,首先应对所研究的现象进行理论分析。不过,这里不准备涉及这方面的内容,只是概括地阐明如何进行实验数据的整理。通常,可采用三种形式来表示实验数据之间的依从关系,即列表表示法、图线表示法和数学表达式表示法。而图线表示法和数学表达式表示法是密切相关的,因此,这里就不将这两种表示法分成单独的两节来讨论。

2.4.1 实验数据的列表表示法

这里不妨将列表表示法稍加扩充,不只限于表示实验的最后结果。用表格表示实验数据,有三种类型的表格:记录原始数据的表格;由原始数据进行中间处理的表格;最终表征过程参数依从关系的表格。

原始数据的记录表格是后两种表格的依据,因此必须在实验中,根据实验设计所确定的参数数目、参数变化范围严格地设计原始数据记录表格。设计和填写这种表格,必须注意如下事项:

(1)项目的完整性 表格中一定要有充分和必要的项目,全面地记录实验的工作状态(工况)和全部实验数据,并应包括实验日期、起止时间以及参加人员名单。同时根据需要,记录下大气温度和压力等环境参数。因为遗漏任何一项记录数据,都可能导致整个实验的失败。

(2)单位的完整性 在表格的各个项目中,都必须注明使用的单位。没有单位的物理量是一个没有任何意义的数字。

(3)有效数字的合理性 有效数字的位数取决于测量的准确度。盲目地增加有效数字的位数,并不能提高实验数据的精确程度,而某些初次参加实验的人员却常常忽视这一点。比如某一量的测量值记录为8.657 3,而其测量准确度为1%,因此,小数点后第二位已经不可靠,当然,小数点后第三位就是无效数字。因此,实验数据的真值将在8.64和8.66之间,可见,合理的测量数据应取为8.65,这一数据才是与整个实验精度相适应的数据。

实验数据的中间处理表格的设计,应以便于数据整理为目的,表格应清楚地表明由原始数据到最后实验数据的处理过程。在表格中应特别注意中间计算和转换过程中单位的变换。

最后的实验数据表格是实验研究的精华,因此,必须简明地表明实验研究的结果。在表格中应明显地表示出控制过程发展的物理量与随之而变化的物理量之间的依从关系。有时,表格本身尚不能充分地表达全部实验结果,因此,还需要一些附加的说明列于表首或表尾。

由于计算机已广泛地进入实验研究,因此,原始数据、中间数据处理和最后的数据表格都可由计算机按预先编制的程序进行,并可将最后数据之间的依从关系绘制成各种图线或拟合成相应的数学表达式。

列表表示法是最简单的实验数据表示法,只要将根据原始数据整理的最后实验结果列出数据表格即可。但是,这种方法的缺点之一是不能形象地看出过程的发展趋势;第二个缺点是不如数学表达式表示的实验结果便于计算机计算,但这个缺点不是绝对的,往往有些实验数据呈现了复杂的依从关系,有时甚至无法用简单函数来表达最后结果,这时采用列表法可能更便于表达实验的结果;第三个缺点是实验结果表达的间断性无法引用两实验点之间的数据,如果需要取得两点间的中间数据,就必须借助于插值法。常见的插值法有线性插值、差分插值、一元拉格朗日插值多项式、差商插值多项式、二元拉格朗日插值多项式、埃尔米特插值多项式以及样条插值等方法。在一般工程中,当自变量间隔和因变量阶跃不太大时,都采用线性插值。

2.4.2　图线表示法

图线表示法是把实验数据之间的相互关系用图线表示出来。这种图线是根据在坐标图中的实验点用适当的方法建立起来的。这里所采用的坐标图,一般常见的有直角坐标、半对数坐标、全对数坐标以及极坐标等。这种方法的优点是从图线上可形象地看到各参数之间的关系和发展趋势,并可将实验结果适当外延。另外,在用图线来平滑实验点的过程中,可适当地消除部分随机误差。当然,这种方法也避免了表格法中实验结果间断的缺点。下面对图线法的一些基本知识加以说明。

1. 标度尺与比例尺的选择

标度尺是指图上单位线性长度或单位角度所代表的物理量。比例尺是指各坐标轴标度尺之间的比例。在作图表示实验结果时,必须首先选择适当的标度尺和比例尺。标度尺和比例尺的选择有一定的独立性,但两者又存在一定的关系。否则,不能恰当地描述实验数据的依从关系,甚至会引起误解。这里先举一例加以说明。例如,某一实验最后整理出来的结果是当 x 为 $1,2,3$ 和 4 时,函数 y 值分别为 $8.0,8.2,8.3,$ 和 8.0,并选择 x 轴标度尺为图上每单位长度代表一个单位的 x 值,而 y 轴标度尺为图上每单位长度代表两个单位的 y 值。这时,上述实验结果表示在 $x-y$ 坐标图上,如图 2.5(a)所示。根据图上表示的实验结果,人们有理由把这些实验点连成一平行于 x 轴的直线,并可得出结论:实验证明 y 值与 x 值无关。但是,如果改换一下标度尺,使 x 轴坐标的标度尺不变,而 y 坐标轴的标度尺改为:图上每单位长度代表 0.2 个单位的 y 值。改换 y 轴标度尺之后,实验数据如图 2.5(b)所示。根据图上实验点的位置,人们又有理由将实验结果连成抛物线,并认为实验证明 y 值受 x 值的影响,并在 $x=3$ 处出现 y_{max}。同样的实验数据,却得出了不同的结论。那么,哪一个结论正确呢? 回答是两个结论都可能正确。这是否说明实验结果与所选择的标度尺有关呢? 显然,回答是否定的。从表面上看,上述矛盾是由于选择不同的标度尺引起的。但是,标度尺的选择,实际上是与实验误差的估计密切相关的。

仍以上例来说明如何正确选择标度尺。如果已知 y 的测量误差 $\Delta y = \pm 0.2$,x 值的测量误差 $\Delta x = \pm 0.05$,则上例的测量结果应为:当 $x_1 = 1 \pm 0.05, x_2 = 2 \pm 0.05, x_3 = 3 \pm 0.05, x_4 = 4 \pm$

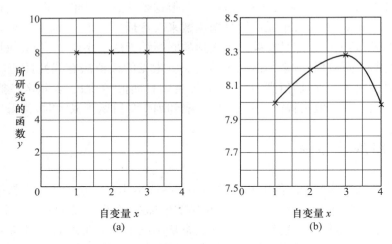

图 2.5　标度尺选择对表示实验结果的影响

（a）直线关系；（b）抛物线关系

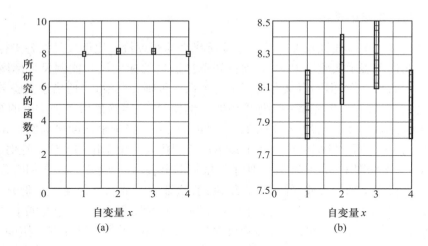

图 2.6　根据测量误差表示实验结果

（a）大的 y 轴标度尺；（b）小的 y 轴标度尺

0.05 时，$y_1 = 8.0 \pm 0.2$，$y_2 = 8.2 \pm 0.2$，$y_3 = 8.3 \pm 0.2$，$y_4 = 8.0 \pm 0.2$。这时，如果把误差带也同时表示在图上，则图 2.5（a）变成图 2.6（a），并且图 2.5（b）变成图 2.6（b）。这样，从图 2.6 可以清楚地看到不论选择什么样的标度尺，其实验结论都是一样的。根据图 2.6（a）及图 2.6（b），有理由认为把实验结果连成平行于 x 轴的直线是正确的。如果设法采取措施来减小

y 值的测量误差,那么,这些数字的意义就不同了。如果 y 值的测量误差不是 0.2,而是 0.02,则 $x_1 = 1 \pm 0.05, x_2 = 2 \pm 0.05, x_3 = 3 \pm 0.05, x_4 = 4 \pm 0.05$ 时, $y_1 = 8.0 \pm 0.02, y_2 = 8.2 \pm 0.02, y_3 = 8.3 \pm 0.02, y_4 = 8.0 \pm 0.02$,仍按上述两种标度尺把这些数据分别画在图上,如图 2.7(a) 和图 2.7(b) 所示。这时,实验结果就不是直线,而应是具有最大值的曲线形式。从以上讨论,可以得出如下结论:第一,标度尺要选择适当,否则就会出现图 2.6(b) 那样的情况,以如此长的一个矩形来代表一个实验"点",显然是不合理的;第二,标度尺的选择与测量误差的大小有密切的关系。可以根据误差带选择标度尺和 $x - y$ 轴的比例,当 x 轴上的误差带与 y 轴上的误差带所构成的矩形接近正方形时,可以认为比例尺的选择是适宜的。

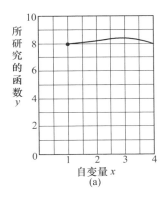
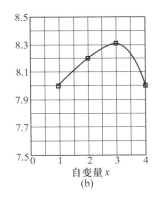

图 2.7　测量误差减小对实验结果的影响

(a) 大的 y 轴标度尺;(b) 小的 y 轴标度尺

下面讨论这个正方形的大小。一般情况下,测量误差带在图纸上大致占据 1 ~ 2 mm 是合适的。比如测量温度沿杆长的分布,温度的测量范围是 0 ~ 100 ℃,其测量误差为 ±0.5 ℃,杆长为 200 mm,其测量误差为 ±1 mm。这时,如果取温度的标度尺为 10 ℃/mm,那么,±0.5 ℃ 在坐标轴上只占 0.1 mm 的长度,在图上几乎无法辨认。如取温度标度尺为 0.01 ℃/mm,则 ±0.5 ℃ 的误差带将在坐标轴上占 100 mm 的长度,显然也是不适宜的。对于一般技术报告的用图,具有 ±0.5 ℃ 的误差,以取 1 ℃/mm 的标度尺为宜,这时,测温误差带在图上占据 1 mm,当杆长的标度尺取 2 mm/mm 时,长度 ±1 mm 的误差带在图上也占据 1 mm。这时,每个测量点的误差带在 $x - y$ 坐标图上形成 1 mm×1 mm 的正方形。但在很多情况下,难以全面满足上述要求。上述原则只能作为参考标准之一。如当测量参数变化范围很大时,首先应该考虑的是,要在有限的坐标纸上容纳全部实验数据。上例的测量范围为 0 ~ 100 mm,根据误差带在坐标轴上占据 1 ~ 2 mm 的原则,100 ± 5 ℃ 的温度值在坐标轴上约占 101 ~ 202 mm 的长度,这是一般坐标纸所允许的。如果测温范围为 0 ~ 1 000 ℃,仍然以误差带在坐标轴上占据 1 ~ 2 mm 的要求为选择标度尺的标准,那么,1 000 ± 0.5 ℃ 就要在坐标纸上占据 1 m 的长度,这显然是一般坐标纸无法容纳的(这里不讨论测量 1 000 ℃ 的高温是否能达到 ±0.5 ℃ 的测量误差)。这时就要根据坐标纸能容纳全部实验数据为原则,来选择坐标轴的标度尺和比例尺。如果要兼顾两者,那么,就只有将全部实验数据分成几段,分别画在几张坐标纸上,才能达到目的。

2. 图线的绘制

选择适当的标度尺和比例尺后,就可以把数据画在坐标纸上,将这些离散的实验点连成光滑的图线,不严格的办法是,用曲线板或曲线尺作一图线,使大部分实验点围绕在该直线的周围。如果实验点在坐标图上的趋势是直线,则可利用直尺作直线,使大部分实验点围绕在该直线的周围。在很多情况下,将实验点连成直线的情况是很多的。从以后的讨论中还可以看到,很多曲线经过线性化处理,仍然可以连成直线。因此,这里将着重讨论直线的连接。

(1)图解法

用透明直尺作一直线,使大部分实验点尽可能近地围绕在该直线的周围,如图 2.8 所示。该直线的数学表达式为

$$y = Bx + C \qquad (2-33)$$

式中,B,C 为常数,B 称为斜率,C 称为截距,有

$$B = \text{tg }\varphi = \frac{\Delta y}{\Delta x} = \frac{y_2 - y_1}{x_2 - x_1} \qquad (2-34)$$

$$C = \frac{y_1 x_2 - y_2 x_1}{x_2 - x_1} \qquad (2-35)$$

如果直线可延伸至 $x = 0$,且与 y 轴相交于 y_0 处,那么

$$C = y_0 \qquad (2-36)$$

这种方法虽然简单,但存在明显的缺点,因为凭直观围绕同一批实验点可能作出不同斜率和不同截距的直线。另外,这种方法没有提供一个判据来衡量所绘制直线对实验数据的拟合质量。不过,无论如何,这种方法总归是一种简单易行的方法。

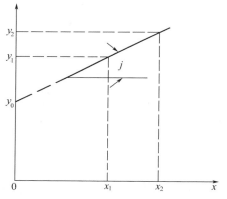

图 2.8　实验数据的整理

(2)连续差值法

连续差值法是计算相邻两点实验数据的斜率,然后取全部斜率的算术平均值为最佳斜率,并可求出最佳斜率的标准误差。

该法的优点是给出了求直线斜率的规范化方法,排除了直观方法的任意性,同时给出了所作直线斜率的标准偏差,即给出了判断所绘制图线优劣的标准。但该法仍有明显的缺点,因为该最佳斜率取决于实验点中首、尾两点所构成的直线的斜率。而在实际实验中,往往是首、尾两点的数据的可靠性差。所以,必须对该法进行改进,这就是下述的延伸插值法。

（3）延伸插值法

这种方法是按自变量值将数据分成数目相等的两组，即高 x 值组和低 x 值组，高 x 值自变量编号为 $x_{H.1}, x_{H.2}, \cdots, x_{H.m}$，低 x 值组自变量编号为 $x_{L.1}, x_{L.2}, \cdots, x_{L.m}$，相应的 y 值为 $y_{H.1}, y_{H.2}, \cdots, y_{H.m}$ 及 $y_{L.1}, y_{L.2}, \cdots, y_{L.m}$。然后，两组中相应编号的 y 值相减，有

$$\Delta y_i = y_{H.i} - y_{L.i} \tag{2-37}$$

相应编号的 x 值相减，有

$$\Delta x_i = x_{H.i} - x_{L.i} \tag{2-38}$$

求出它们的斜率 B_i，为

$$B_i = \frac{\Delta y_i}{\Delta x_i} \tag{2-39}$$

最后求出平均斜率值 B，为

$$B = \frac{\sum\limits_{i=1}^{m} B_i}{m} \tag{2-40}$$

这种方法实质上是将高、低值组中的相应两点连成直线，然后求出这些直线的平均斜率，这样就避免了平均斜率只取决于数据首、尾两点的缺点。

（4）平均值法

这种方法与延伸差值法很相像，同样将 n 个数据分成两组，对任一组数据均可写成

$$y_i = A + Bx_i \tag{2-41}$$

对第一组数据 m 个方程相叠加，得

$$\sum_{i=1}^{m} y_{H.i} = mA + B\sum_{i=1}^{m} x_{H.i} \tag{2-42}$$

对第二组数据 m 个方程相叠加，得

$$\sum_{i=1}^{m} y_{L.i} = mA + B\sum_{i=1}^{m} x_{L.i} \tag{2-43}$$

由上述方程（2-42）及方程（2-43）可解出两个常数 A 和 B。当自变量 x 按等差级数分布时，平均值法与延伸差值法会得到同样的结果。

上述诸方法都比较简单，没有大量的计算，而且给出了一个较为客观的作图方法和评定标准。但是，在实验点较分散、实验误差较大的情况下，最小二乘法将是更有效的方法。虽然，其复杂程度增加了，但现已有专用的计算机程序。

（5）最小二乘法

最小二乘法是实验数据数学处理的重要手段。过去由于计算的烦琐，尚未充分显示出优越性，随着计算机和计算技术的飞速发展，最小二乘法已经广泛地应用在实验数据的整理过程中。最小二乘法建立在实验数据的等精度和误差正态分布的假设前提下。根据这一前提，进

行了较为烦琐的数学推演与证明,得出了相应的定理和结论。但在实验应用中,人们常常不去考察自己的实验误差是否符合正态分布。为了从实用角度很快地引出有实用价值的结论,这里略去最小二乘法的严格数学推演和证明,而着重从实用的角度,借助于推理的方法,直接导出最小二乘法的有用结论。

如果有一组测量数据,A_i 为第 i 点的测量值,X_{0i} 为该点最佳近似值,则该点的残差 V_i 为

$$V_i = A_i - X_{0i} \tag{2 - 44}$$

最小二乘法原理指出:具有同一精度的一组测量数据,当各测量点的残差平方和为最小时,所求得的拟合曲线为最佳拟合曲线。

如果用一直线近似表示一批实验数据相互之间的依从关系,其直线可表示成

$$y = Bx + C \tag{2 - 45}$$

如果 x_i 处实验测量值为 y_i,与近似直线式(2-45)值相差为 $e_{y.i}$,则 x_i 处实验测量值可表示成

$$y_i = Bx_i + C + e_{y.i}$$

即

$$e_{y.i} = y_i - (Bx_i + C)$$

如果实验测量点为 n 个,则均方和(即残差平方和)S 为

$$S = \sum_{i=1}^{n} e_{y.i}^2 = \sum_{i=1}^{n} \left[y_i - (Bx_i + C) \right]^2 \tag{2 - 46}$$

根据最小二乘法原理,如果近似直线式(2-45)能满足 $\sum e_{y.i}^2$ 为最小的要求,则该式即为最佳近似直线。从数学的角度来考察,欲选择式(2-46)中的 B,C,使之满足 $\sum e_{y.i}^2$ 最小,亦即必须满足下述两个条件

$$\frac{\partial}{\partial B}\left[\sum e_{y.i}^2 \right] = 0 \tag{2 - 47}$$

$$\frac{\partial}{\partial C}\left[\sum e_{y.i}^2 \right] = 0 \tag{2 - 48}$$

将式(2-46)分别代入式(2-47)及式(2-48),得

$$\sum x_i(y_i - Bx_i - C) = 0 \tag{2 - 49}$$

$$\sum (y_i - Bx_i - C) = 0 \tag{2 - 50}$$

式(2-49)和式(2-50)称为正规方程,而

$$x_i(y_i - Bx_i - C) = 0 \tag{2 - 51}$$

$$y_i - Bx_i - C = 0 \tag{2 - 52}$$

称为条件方程。应用实验数据,通过正规方程,便可求出拟合一批实验数据的最佳直线的斜率 B 和截距 C。

为了给出斜率的偏差,下面讨论斜率的标准误差。如果自变量具有相等的间隔,则标准误差为

$$e_0 = \left\{ \frac{n \sum e_{y \cdot i}^2}{(n-2)\left[n \sum x^2 - (\sum x)^2 \right]} \right\}^{\frac{1}{2}} \tag{2-53}$$

仔细考察上述讨论,可以看到,全部讨论都认为自变量 x 是无误差的,全部误差都集中在 y 上。在很多讨论最小二乘法的书中也认为 x 值是无误差的。但实际上,这种假设有时是不符合实际情况的。比如在校验热电偶的实验中,将实验数据表示成 $E = f(T)$。在实验中,往往可以采用高精度的电位差计或数字电压表来测量热电势 E,可以达到千分之几甚至万分之几的精度。但要想把温度的测量精度提高到万分之几是不可能的,因为热源的均匀、稳定程度和温度的测试手段都难以达到如此高的精度。在这种情况下,假设 y 值无误差才是合理的。如果假设 y 值是无误差的,全部误差集中在 x 上,于是 x 的均方和为

$$\sum e_{y \cdot i}^2 = \sum \left(x_i - \frac{y_i}{B} + \frac{C}{B} \right)^2 \tag{2-54}$$

同样,根据最小二乘法原理,式(2-54)必须满足前面公式(2-47)和(2-48)。

将式(2-54)分别代入式(2-47)及式(2-48),得到

$$\sum (B - x_i - y_i + C) = 0 \tag{2-55}$$

$$\sum y_i (Bx_i - y_i + C) = 0 \tag{2-56}$$

这也是一组正规方程,同样可以通过它们求出最佳的近似直线。可见逼近一批实验数据存在着两个最小二乘的解。哪一个更合适,需要对实验测量过程进行误差分析。如果某一坐标轴上的误差明显大于另一坐标轴上的误差,则应采用前一坐标轴上的最小二乘解。但在很多情况下,两个坐标上的误差是相近的,这时,应采用两者的平均值。

在结束最小二乘法的讨论时,应该指出,上面对最小二乘法的讨论并不是最小二乘法的全部,更不要建立一个错觉,认为最小二乘法只适应于线性函数的拟合。其实,线性函数不过是多项式的一个特例。如果把函数表示成一般的多项式形式,则

$$y = C + B_1 x + B_2 x^2 + \cdots + B_m x^m \tag{2-57}$$

这时的正规方程为

$$\sum_{k=0}^{m} S_{k+l} a_k = V_l \qquad (l = 0, 1, 2, \cdots, m) \tag{2-58}$$

这是一组以 $a_0, a_1, a_2, \cdots, a_m$ 为未知数的 $m+1$ 阶线性代数方程组。m 次的最小二乘拟合多项式的系数应满足式(2-28)。这方面的详细阐述请查阅最小二乘法的专著。

2.4.3 数据的线性化处理

由于线性方程的形式和图形比较简单,所以,人们对直线有较强的判断能力。而当数据呈现曲线分布时,由于曲线方程的形式五花八门,方程中各系数的变化又会使曲线形状截然不同,而且同一曲线方程在不同的域内其形状各不相同,因此,凭直观很难准确地判断应把实验数据整理成什么形式的数学表达式。如果采取某种变换能把曲线形式的表达式转化为直线形式的表达式,那么,就可以利用对直线的处理方法来作图和确定表达式中的常数,然后再将得到的线性方程还原成原函数形式,这样会使拟合实验数据过程更简便,拟合的表达式更准确。可见,所谓的线性化处理,就是将任一函数 $y = f(x)$ 转换成线性函数 $Y = nX + C$,其方法是寻找一新的坐标系 $X - Y$,其中 $X = \varphi(x, y)$,$Y = \psi(x, y)$,使 $x - y$ 坐标系中呈曲线关系的实验数据在 $X - Y$ 坐标系中呈线性关系。

在传热学实验中常常应用这种方法进行数据处理。如管内紊流强迫对流换热,数据努塞尔数 Nu 与雷诺数 Re 呈曲线关系。根据传热学理论和经验,可以把 Nu 与 Re 关系表示成

$$Nu = ARe^n \tag{2-59}$$

令 $Y = \lg Nu$,$X = \lg Re$,于是,式(2-59)的线性化方程为

$$Y = nX + C \tag{2-60}$$

因此,Nu 与 Re 按式(2-60)整理,则在 $X - Y$ 坐标系中呈线性关系,可以用已讨论过的所有处理直线方程的方法来处理上述数据,求得相应的常数 n 和 $A(C = \lg A)$,然后将已知的线性方程(2-60)还原为式(2-59)的形式,使式(2-59)成为确定的形式。

为方便起见,下面列出可能遇到的曲线方程及其线性化方程。

1. 幂函数的线性化方程

$$y = Ax^n \tag{2-61}$$

其线性化方程为

$$Y = nX + C \tag{2-62}$$

式中 $Y = \lg y$,$X = \lg x$,$C = \lg A$。

上面已对其进行了初步讨论,这里稍加概括。当上述幂指数 n 值不同时,其曲线形状也将不同。当 $n > 0$ 时,如图 2.9(a)所示;当 $n < 0$ 时,如图 2.9(b)所示。按 $X - Y$ 坐标整理实验数据见图 2.10。

根据线性化方程的性质

$$n = \operatorname{tg} \varphi \tag{2-63}$$

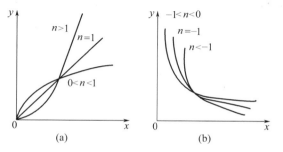

图 2.9　幂函数 $y = Ax^n$

(a)$n > 0$;(b)$n < 0$

可由任一点的 x,y 值求出 A,有

$$A = \frac{y}{x^n} \qquad (2-64)$$

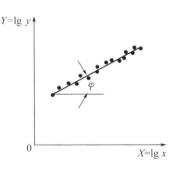

由以上分析可以看出,对于幂函数分布规律的实验数据,用双对数坐标纸进行整理,就可使实验数据呈线性关系。

幂函数的另一种常用形式是

$$y = a + Ax^n \qquad (2-65)$$

取 $X = \lg x, Y = \lg (y-a)$,则线性化方程为

$$Y = nX + C \qquad (2-66)$$

图 2.10　幂函数的线性化方程

式中 $C = \lg A$。如果式(2-65)中常数 a,A 及 n 均未知,则需首先根据实验数据求出常数 a。a 的求法如下:取两点 x_1 及 x_2 和相对应的 y_1 及 y_2 值,然后再取第三点 $x_3 = \sqrt{x_1 x_2}$ 以及相对应的 y_3 值,于是

$$a = \frac{y_1 y_2 - y_3^2}{y_1 + y_2 - 2y_3} \qquad (2-67)$$

a 值已知后,便可按 X,Y 整理实验数据,并可在 $X-Y$ 坐标系中求得 n 与 A。

2. 指数函数的线性化方程

指数函数

$$y = Ae^{nx} \qquad (2-68)$$

其图形见图 2.11。取 $X = x, Y = \lg y$,于是,其线性化方程为

$$Y = nX + C \qquad (2-69)$$

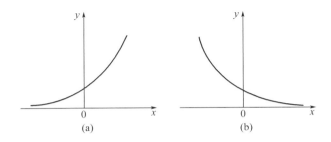

图 2.11　指数函数 $y = Ae^{nx}$

(a)$n > 0$;(b)$n < 0$

由以上分析可以看到,用单对数坐标纸整理实验数据,便可呈现直线形式。至于方程中的

常数 A, n 的确定,这里不再赘述。

3. 多项式的线性化处理

多项式

$$y = a + bx + cx^2 \qquad (2-70)$$

取 $Y = (y - y_1)/(x - x_1)$, $X = x$, 于是,其线性化方程为

$$Y = b + cx_1 + cX \qquad (2-71)$$

其中 x_1, y_1 为已知曲线上的任一点坐标值。通过在 $x - y$ 坐标系中整理数据,可以得到线性方程的斜率 c 与截距 $b + cx_1$。由于 c 及 $b + cx_1$ 已知,故可解出 b 值。a 可采用下述方法求得,取 n 组数据,于是,可表示成

$$\left. \begin{array}{l} y_1 = a + bx_1 + cx_1^2 \\ y_2 = a + bx_2 + cx_2^2 \\ \vdots \\ y_n = a + bx_n + cx_n^2 \end{array} \right\} \qquad (2-72)$$

所以

$$\sum_{i=1}^{n} y_i = na + b\sum_{i=1}^{n} x_i + c\sum_{i=1}^{n} x_i^2 \qquad (2-73)$$

于是

$$a = \frac{\sum_{i=1}^{n} y_i - b\sum_{i=1}^{n} x_i - c\sum_{i=1}^{n} x_i^2}{n} \qquad (2-74)$$

从以上分析中可以看到,在对数坐标中实验数据呈现出更小的分散度。比如,在 $x = x_i$ 处,实验测量值为 y_i,在相应的拟合曲线上为 y_{0i},则在普通直角坐标中,实验数据的分散度 e_{10}

$$e_{10} = \frac{y_i - y_{0i}}{y_{0i}} = \frac{y_i}{y_{0i}} - 1 \qquad (2-75)$$

而在对数坐标中,其分散度 e_{lg}

$$e_{lg} = \frac{\lg y_i - \lg y_{0i}}{\lg y_{0i}} = \frac{\lg y_i}{\lg y_{0i}} - 1 \qquad (2-76)$$

很明显,对于大于 1 的实验数据,$e_{lg} < e_{10}$。可见,分散度很大的实验数据,在对数坐标中却能显现出较明显的规律性,这对实验数据的处理带来一定的方便。

第3章 工程热力学实验

3.1 气体温度计的标定

气体温度计的测量精度很高,测量的范围可由 −273 ℃到 1 500 ℃。根据测量的范围不同,可采用氢、氮和氦等气体。标准的氢气体温度计测量精度可达到 0.005 ℃。通常气体温度计是低温测量和量热技术中用来精确测量热力学温度的一种仪器,也常用来作为标定和校验其他次级温度计的基准温度计。

根据热力学原理,理想气体状态方程为

$$pV = nRT$$

因此,利用理想气体温度计测出的温度是热力学温度。

气体温度计常用的有三种。由理想气体状态方程,当容积 V 不变时,压力 p 随温度 T 成比例地变化;而当压力 p 不变时,容积 V 随温度 T 成比例地变化等,据此可制成定容气体温度计、定压气体温度计与测温泡定温气体温度计。由于用定压的方法测量气体体积比较困难,因此在使用上受到一定的限制;定温气体温度计适用于高温环境中,而低温气体温度计大多采用定容气体温度计,这主要由于在低温时,分子吸附作用的影响不大,而定容在技术上要求简单,而且灵敏度又比较高。

3.1.1 实验目的和要求

(1)了解气体温度计测温的热力学原理;
(2)标定定容空气温度计;
(3)用标定的定容空气温度计校验水银温度计。

3.1.2 实验原理

1. 基本知识

(1)气体温度计的原理
定容气体温度计由测温泡、压力表、一根热导率小的德银毛细管组成。其原理图如图 3.1 所示。

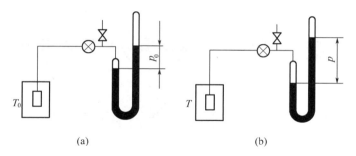

图 3.1　定容气体温度计原理图

(a)状态 1:温度为 T_0 时相应的压力为 p_0;(b)状态 2:温度为 T 时相应的压力为 p

一般情况下,测温泡用铜制作,体积约几十 cm^3,假设它的体积为 V_B。压力表(可以用水银压力计,也可以用弹簧压力计)的容积为 V_M,测温泡和压力表之间通常用一根外径为 0.5 mm,内径为 0.3 mm 的德银毛细管连接,其体积为 V_d。V_d 称为有害体积或死体积。

在 $V_d \ll V_B$ 的情况下,对于上述气体温度计,若测温气体满足理想气体状态方程,则有

$$\frac{pV_B}{RT} + \frac{pV_M}{RT_0} \approx n = \frac{p_0 V_B}{RT_0} + \frac{p_0 V_M}{RT_0} \qquad (3-1)$$

式中　V_B——测温泡的容积,cm^3;

　　　V_M——室温下压力计的容积,cm^3;

　　　T_0——室温,K;

　　　T——测温泡的温度,K;

　　　p——压力计指示的压力,MPa;

　　　p_0——充气压力,MPa。

此时,若 V_B,V_M 处于室温状态下,式(3-1)可改写为

$$\frac{1}{T} = \frac{p_0(V_B + V_M)}{pT_0 V_B} - \frac{V_M}{T_0 V_B} = \frac{a}{p} - b \qquad (3-2)$$

或

$$T = \frac{p}{a - bp} \qquad (3-3)$$

式中,$a = \dfrac{p_0(V_B + V_M)}{T_0 V_B}$ 和 $b = \dfrac{V_M}{T_0 V_B}$ 均为常数,可由实验测得,由式(3-3)可以计算出所测任意压力 p 下的温泡温度 T。

(2)实验用气体温度计的结构

气体温度计可以用来实现热力学温标,但是要建立作为基准的精密气体温度计并不是很容易。在这里介绍一种实验室里常用的既比较简单又比较精确的气体温度计,图 3.2 即为这种气体温度计的结构示意图。

从温泡内引出德银毛细管 C,用环氧树脂接到玻璃毛细管 G 上,W 和 V 用同样管径(φ10 mm)的玻璃管制作,W 处的水银面要尽量高,以减小 V_M,但是不能进入玻璃管直径有变化的地方,且每次测量时要在同一位置,以保证测温泡气体体积恒定。水银面的升降是靠向 F 充气与减压来实现的。N 是一个针型阀,N 前再加一个可控制水银面高度的微调阀 S。测温泡受热后,气体可存在泡 D 中,使水银面降到 J 以下。可以通过管 V 对温度计进行抽空或充气,气体压力 p 由管 V 中的水银面相对于标记 O 的高度读出。

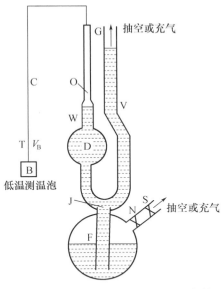

图 3.2　实验室用气体温度计结构示意简图

(3)气体温度计的修正

气体温度计是在理想气体基本理论的基础上设计的,而实际气体在低温下与理想气体的性质有很大的不同,温度越低,这种偏差越大。为了能够精确地测量温度,需要对它进行几方面的修正,如工作气体的非理想性修正、毛细管体积的修正、测温泡体积冷缩的修正、热分子压差的修正等。

①工作气体的非理想性修正　在低温下,实际气体的状态应该由真实气体的状态方程来描述,即用无穷级数或用维里系数来表示:

$$pV = RT\left[1 + B(T)\left(\frac{n}{V}\right) + C(T)\left(\frac{n}{V}\right)^2 + \cdots\right] \qquad (3-4)$$

或

$$pV = RT\left\{1 + B(T)\left[\frac{p}{RT}\right] + \left[C - B^2(T)\right]\left(\frac{p}{RT}\right)^2 + \cdots\right\} \qquad (3-5)$$

式中,$B(T)$,$C(T)$ 分别是第二与第三维里系数,它们都是温度的函数,其值可由实验来确定。

如果测温泡温度等于室温,即在室温下充气,$T = T_s$,充气压力为 p_s,则

$$\frac{pV_B}{RT + B(T)p} + \frac{pV_M}{RT_0} = \frac{p_sV_B}{RT_s + B_sp_s} + \frac{p_sV_M}{RT_0} \qquad (3-6)$$

在 $V_M \ll V_B$,$T_0 \gg T$ 时,式(3-6)可近似为

$$\frac{pV_B}{RT + B(T)p} = \frac{p_sV_B}{RT_s + B_sp_s} \qquad (3-7)$$

因此,可以计算出由于气体非理想性引起的温度误差为

$$T_1 = T_S - T = \left[B_s - B(T)\right]\frac{p}{R} \qquad (3-8)$$

充气温度或标定温度与待测温度越接近,$[B_s - B(T)]$ 值越小,气体非理想性引起的温度

误差也就越小。同样,温度越低,压力越高,产生的误差也就越大。

②毛细管体积的修正　由于毛细管的上部处于室温中,它的体积可以认为包括在 V_M 中,但是它的温度从室温到低温变化很大,要准确计算这段毛细管引起的误差是十分困难的,一般假定这段毛细管各部分的温度等于测温泡的温度,则由这段毛细管引起的最大温度误差为

$$T_2 = \frac{V_C}{V_B}T \tag{3-9}$$

从上式可知,若要求温度计的准确率高于 1%,当毛细管内径为 0.5 mm,长为 50 cm（ $V_C = 0.1$ cm³ ）时测温泡的体积应大于 10 cm³。在使用时,还应该注意,毛细管的温度不应该比测温泡的温度低,否则大部分气体集中在这段毛细管会引起很大的误差。

③测温泡体积冷缩的修正　严格地说,等容气体温度计并不是等容的,由测温泡体积受冷收缩 V_B' 引起的测量误差为

$$T_3 = \frac{V_B'}{V_B}T \tag{3-10}$$

由于 $V_B < 0$,故 $T_3 < 0$。

测温泡通常用导热性能良好的纯铜制作,它从 90 K 被冷却到 4 K,仅仅收缩 5%。以液氧和液氮温度来分度,此项误差小于 0.05%。

④热分子压差的修正　当气体的平均自由行程比毛细管直径大时,处在室温 T_0 下的压力读数和低温泡中的压力有所差别,这就是热分子压差效应。例如毛细管内经为 0.5 mm,压力 $p < 2.66$ kPa 时,热分子压差效应引起的误差仅为 0.1%,因此,通常其修正值可以略去不计。

除上述修正外,有时还需考虑对参考温度测量的准确度、压力测量的准确度以及气体吸附加以修正。

2. 实验原理

热力学温标采用水的三相点作为温度定点,温度值为 273.15 K,如果待测的温度为 T,根据理想气体定律,绝对温度为零时,压力为零,则定容气体温度计测定的温度 T 由气体压力 p 表示如下:

$$T = \frac{p}{p_{tr}} \times 273.16 \tag{3-11}$$

式中　p_{tr}——定容气体温度计中的气体处于水的三相点温度时的压力,kPa;

p——定容气体温度计中的气体处于测定温度时的压力,kPa。

实验室标定定容气体温度计时采用水的冰点作为定点,并取水的沸点作为补充定点。定压力为 760 mmHg 时,纯水的冰点温度为 273.15 K 或者为 0 ℃,沸点温度为 373.15 K 或者为 100 ℃。设定容气体温度计中的气体处于冰点温度与沸点温度的压力分别为 p_0 与 p_{100},则差值（ $p_{100} - p_0$ ）的 1% 即为相应于温度差值为 1 ℃ 的压力分度值。由此作出刻度线如图 3.3 所示。

以此标度好的定容气体温度计进行测量时,如定容气体温度计的气体与待测介质达到热平衡时的压力为 p_t,则定容气体温度计测出的介质温度 t_v 可根据气体压力由下式确定:

$$t_v = \frac{p_t - p_0}{p_{100} - p_0} \times 100 \qquad (3-12)$$

在水的冰点与沸点之间的温度范围内,空气等实际气体的性质与理想气体差别很小。因此,用水的冰点与沸点作为定点的实际气体温标十分接近于理想气体温标,在需要精确测量时,可以采取前面介绍的修正方法对实际气体测量的偏差加以修正,以得到较为精确的结果。

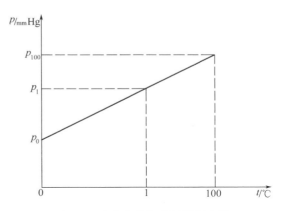

图 3.3　定容气体温度计的刻度线

3.1.3　实验设备

实验所用的设备与仪器仪表有定容气体温度计(带压差计)、恒温水浴和水银温度计。实验台装置如图 3.4 所示。

定容气体温度计由测温泡 1 与玻璃 U 型管压差计 2 组成。测温泡浸没在大烧杯内的水中,压差计固定在垂直的支架上。支架上附有米尺,滑标 9 可以沿米尺移动,以读出压差计两臂水银面顶端的高度差。

连接测温泡与压差计左臂的玻璃毛细管 3 上有两个旋塞。三通旋塞 5 可以使测温泡与压差计隔绝与外界的连通,进行充气与放气,而测量时使测温泡与外界隔绝而与压差计相通。二通旋塞 6 在测量时使测温泡与压差计相通,不测量时使它们隔绝。

玻璃毛细管的一端有小玻璃泡 4,泡上刻有水平线标志 C。要求每次测量时都使压差计左臂的水银面维持在水平标志线上。

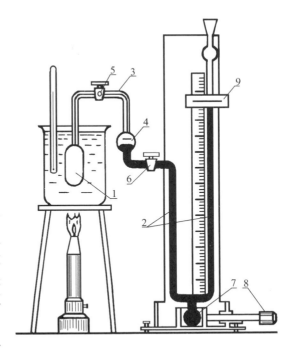

图 3.4　定容气体温度计实验台

1—测温泡;2—压差计;3—连通管;4—小玻璃泡;
5—三通旋塞;6—二通旋塞;7—皮囊;8—旋杆;9—滑标

3.1.4　实验步骤

（1）用经过过滤干燥的空气通过三通旋塞使测温泡反复充气与放气（测温泡的充气压力通常取 0 ℃时为 1 000 mmHg），以使测温泡内充满干燥空气。

（2）将测温泡和待校验的水银温度计一起放入大烧杯中，烧杯中的水量应能全部浸没测温泡。

（3）测定测温泡内气体与沸腾水达到热平衡时的压力 p_{100}。用酒精灯将烧杯内的水加热至沸腾。水沸腾时，读取压差计右臂水银面高度 h_b 与左臂水银面高度 h_c，同时读取水银温度计指示值 t。测温泡内气体的压力由下式确定：

$$p_{100} = p_b + (h_b - h_c) \qquad\qquad (3-13)$$

式中　p_b——大气压力，mmHg。

（4）测定任意温度下与水达到热平衡时的压力 p_t。在上述烧杯中徐徐加入冷水并搅拌，使烧杯中的水慢慢冷却。在水冷却过程中，当水银温度计指示值约为 $90,80,70,\cdots,t$ ℃时，同时读取水银温度计指示值和压差计相应的右臂水银面高度 $h_{90},h_{80},h_{70},\cdots,h_t$，直到水银温度计的指示值下降到 10 ℃为止。于是，任意温度时的气体压力 p_t 可确定如下：

$$p_t = p_b + (h_t - h_c) \qquad\qquad (3-14)$$

（5）测定与冰水达到热平衡时的压力 p_0。将烧杯内的水换以冰水混合物，等到水银温度计的指示值不再下降而达到稳定时，记下水银温度计的指示值和压差计相应的右臂水银面高度 h_0，p_0 可以按照下式确定：

$$p_0 = p_b + (h_0 - h_c) \qquad\qquad (3-15)$$

3.1.5　实验数据的记录与处理

（1）实验开始与结束时分别读取大气压力计指示值一次，以两次读数的平均值作为实验时大气压力 B 的数值。

（2）标定定容气体温度计时，水沸腾时的温度可以根据大气压力由表 3.1 查取此值即为水沸腾时测温泡内的空气的温度 t_{vb}。测温泡内空气与冰水混合物达到热平衡时的温度可视为 0.0 ℃。于是，对应于测温泡内空气压力为任一值 p_t 时的温度 t_v 为

$$t_v = \frac{t_{vb}}{p_{100} - p_0}(p_t - p_0) \qquad\qquad (3-16)$$

得到上式后定容气体温度计即标定完成。

表 3.1　不同大气压力下水的沸点温度　　　　　　单　位:℃

序号 p_b/mmHg	0	1	2	3	4	5	6	7	8	9
730	98.88	98.92	98.95	98.99	99.03	99.07	99.11	99.14	99.18	99.22
740	99.26	99.29	99.33	99.37	99.41	99.44	99.48	99.52	99.56	99.59
750	99.63	99.67	99.70	99.74	99.78	99.82	99.85	99.89	99.93	99.96
760	100.00	100.04	100.07	100.11	100.15	100.18	100.22	100.26	100.29	100.33
770	100.36	100.40	100.44	100.47	100.51	100.55	100.58	100.62	100.65	100.69

(3)用定容气体温度计校验水银温度计:水银温度计的校正值为

$$\Delta t = t_v - t \qquad\qquad (3-17)$$

以水银温度计读数为横坐标,校正值为纵坐标作图,在图上标出各校验温度相应的校正值,并连成折线。

3.1.6　实验注意事项

(1)测定测温泡内空气压力时,压差计左臂水银面顶端应调节到水平标志线 C。如果水银面原来已高于标志线,则应先降下来再调节上升到标志线上,并保持每次读数时水银面在标志线上的位置相同。

(2)校验水银温度计时,为了促使水冷却,可以加入冷水,同时搅拌。当温度下降到比待校温度高约1~2 ℃时,便应该停止加入冷水,令其自然缓慢冷却。

(3)实验过程中,不得转动三通旋塞。应保证旋塞严密,不漏气。

(4)当停止加热时,必须将皮囊放松,使水银面下降。否则,当测温泡内空气压力在受到冷却而下降时,压差计的水银可被压入测温泡内,导致仪器无法继续使用。因此,每次读数后都必须将压差计左臂水银面降低到水平标志线以下。

3.1.7　思考题

(1)测温泡在高温时充气还是在低温时充气,其利弊如何?

(2)试分析实验装置可能给定容气体温度计测量带来误差的原因?

(3)本实验装置能不能作为定压气体温度计,怎样标定?

3.2　二氧化碳综合实验

工质的热物性是工程热力学课程研究的主要内容之一。通过对二氧化碳 $p-v-t$ 关系的测定,观察二氧化碳液化过程的状态变化及经过临界状态时的气液突变现象,测定等温线和临界状态参数。

3.2.1　实验目的和要求

(1)了解实际气体的性质和热力学一般关系式,加深对课堂所讲的工质的热力状态、凝结、汽化、饱和状态等基本概念的理解;

(2)了解 CO_2 临界状态的观测方法,增加对临界状态概念的感性认识;

(3)学会活塞式压力计、恒温器等部分热工仪器的正确使用方法;

(4)掌握 CO_2 的 $p-v-t$ 关系的测定方法并学会运用实验来测定实际气体状态变化规律的方法和技巧。

3.2.2　实验原理

实际气体具有相似的物理特性,以水蒸气为代表的实际气体都具有这样的特性:饱和温度随着压力增大而升高,但 v' 与 v'' 之间的差值随着压力的增大而减小。当压力上升到一定的数值后,饱和水和饱和蒸汽不再有分别了,这样的状态点称为实际气体的临界点,其压力、温度和比体积分别称为临界压力、临界温度、临界比体积,分别用 p_{cr},t_{cr},v_{cr} 表示。当 $t>t_{cr}$ 时,不论压力多大,再也不能使蒸汽液化。

由于在临界点时,汽化潜热等于零,饱和气相线和饱和液相线合于一点,所以这时气液的相互转化不是像临界温度以下时那样逐渐积累,需要一定的时间,表现为一个渐变的过程,而是当压力稍有变化时,气、液是以突变的形式互相转化的。

研究实际气体的性质在于寻求其热力参数间的关系,重点在于建立实际气体的状态方程。

当简单可压缩热力系统处于平衡状态时,状态参数压力 p、温度 t 和比容 v 之间存在一定的函数关系,有

$$F(p,v,t)=0 \tag{3-18}$$

或者

$$t=f(p,v) \tag{3-19}$$

当温度维持不变时,测定与不同压力所对应的比容数值,从而可获得等温线的数据。

理想气体的等温线为双曲线,而实际气体的等温线是分段的。当温度低于临界温度时实

际气体的等温线有气液相变的直线段;当温度高于临界温度时实际气体的等温线才逐渐接近于理想气体的等温线。因此,用理想气体的理论不能解释实际气体的气液两相转化现象和临界状态。这说明理想气体有关分子模型的两点假设对于压力趋近于零的气体是合理的,而当压力升高或者比容降低时,气体分子本身占据的体积的影响越来越大,而分子间的相互作用力也变得越来越明显,因此出现了上述现象。为此,1873 年范德瓦尔对理想气体状态方程作了相应修正,提出下列状态方程:

$$\left(p + \frac{a}{v^2}\right)(v - b) = RT \tag{3-20}$$

或者

$$p = \frac{RT}{v - b} - \frac{a}{v^2} \tag{3-21}$$

式中,a 与 b 是各种气体所特有的、数值为正的常数,称为范德瓦尔常数。该方程称为范德瓦尔方程。

将理想气体状态方程与范德瓦尔方程相比较,在范德瓦尔方程中,考虑分子间的相互作用力而对压力进行了修正,增加了一项 $\frac{a}{v^2}$,这一项有时称为内压,由于分子间的引力作用,气体对容器壁面所加压力要比理想气体的小一些;考虑气体分子本身所占的体积,所以在代表气体总容积的一项上减去 b 值,范德瓦尔方程是比容 v 的三次方程,在 $p-v$ 图上以一簇等温线表示,在临界温度以上一个压力相对应只有一个 v 值,即只有一个实根,在临界温度以下与一个压力值对应的有三个值,在这三个实根中,最小值是饱和液体比容,最大值是饱和蒸汽的比容,中间值没有物理意义。得到三个相等实根的等温线上的点为临界点。范德瓦尔方程在饱和液体区与饱和蒸汽区内与实验结果符合不好。尽管范德瓦尔方程还不够完善,但是它反映了物质气液两相的性质和两相转变的连续性。由此方程可得临界温度等温线拐点,满足下述条件:

$$\left(\frac{\partial p}{\partial v}\right)_T = 0 \ \text{和} \ \left(\frac{\partial^2 p}{\partial v^2}\right)_T = 0 \tag{3-22}$$

本实验根据范德瓦尔方程,采用等温的方法来测定二氧化碳 $p-v$ 之间的关系,从而找出实际气体二氧化碳的 $p-v-t$ 关系。

3.2.3　实验设备及操作规程

1. 实验设备及仪表

实验所用设备及仪表由实验台本体及其防护罩、恒温器、压力台三大部分组成。实验台本体如图3.5所示,实验台系统图如图 3.6 所示。

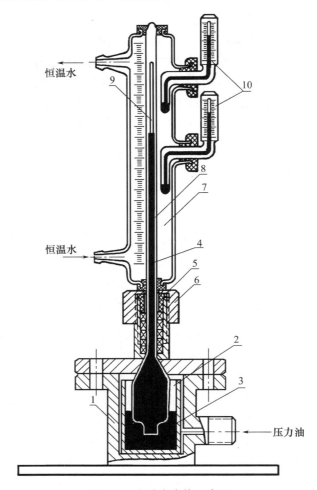

图 3.5　实验台本体示意图

1—高压容器;2—玻璃杯;3—压力油;4—水银;5—密封填料;
6—填料压盖;7—恒温水套;8—承压玻璃管;9—二氧化碳空间;10—温度计

2. 操作规程

（1）使用恒温器调定温度

①将蒸馏水注入恒温器内,注至离盖 2～3 cm 为止。检查并接通电源,开通电动泵,使水循环对流。

②旋转电接点温度计顶端的帽形磁铁,调动凸路轮示标,使凸路轮上端面与所要调定的温度一致。将帽形磁铁用横向螺钉锁紧,以防转动。

③视水温情况开关加热器。当水温未达到要调定的温度时,恒温器指示灯是亮的,当指示

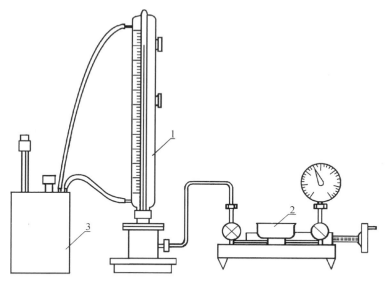

图 3.6 **CO₂ 实验台系统图**

1—实验台本体;2—活塞式压力计;3—恒温器

灯时亮时灭闪动时,说明温度已达到所需恒温。

④观察玻璃水套上两支温度计,若其读数相同且与恒温器上温度计及电接点温度计标定的温度一致(或基本一致时),则可(近似)认为承压玻璃管内的二氧化碳的温度处于所标定的温度。

(2)加压前的准备

①关闭压力表及进入本体油路的两个阀门,开启压力台上油杯的进油阀门;

②摇退压力台上的活塞螺杆,直至螺杆全部退出,这时候压力台的油缸中充满了油;

③先关闭油杯阀门,然后开启压力表和进入本体油路的两个阀门;

④摇进压力台上的活塞螺杆,给本体充油,如此重复,直至压力表上有读数为止;

⑤再次检查油杯阀门是否关好,压力表和进入本体油路的两个阀门是否开启,若均已稳定,即可进行实验。

3.2.4 实验步骤

1. 观察实验

(1)临界乳光现象

将水温加热到临界温度(31.1 ℃)并保持温度不变,摇进压力台上的活塞螺杆使压力上升至 7.8 MPa 附近,然后摇退活塞螺杆(注意勿使实验本体晃动)降压,在此瞬间玻璃管内将出现圆锥状的乳白色的闪光现象,这就是临界乳光现象。这是由于二氧化碳分子受重力场作用沿高度分布不均和光的散射所造成的,可以反复几次来观察这一现象。

(2)整体相变现象

由于在临界点时,汽化潜热等于零,饱和气相线和饱和液相线合于一点,所以这时气液的相互转化不是像临界温度以下时那样逐渐积累,需要一定的时间,表现为一个渐变的过程,而是当压力稍有变化时,气、液是以突变的形式互相转化的。

(3)气、液两相模糊不清的现象

处于临界点的二氧化碳具有共同的参数(p,v,t),因而仅凭参数是不能区分此时二氧化碳是气体还是液体,如果说它是气体,那么这个气体是接近了液态的气体;如果说它是液体,那么这个液体是接近了气态的液体。下面就用实验来验证这个结论。因为这时是处于临界温度下,如果按等温线过程进行来使二氧化碳压缩或膨胀,那么管内是什么也看不到的。现在我们按绝热过程来进行。首先在压力等于 78 at(工程大气压,1 at = 98 066.5 Pa)附近,突然降压,二氧化碳状态点由等温线沿绝热线降到液态区,管内二氧化碳出现了明显的液面,这就说明,如果这时管内二氧化碳是气体的话,那么这种气体离液区很接近可以说是接近了液态的气体;当我们在膨胀之后,突然压缩二氧化碳时,这个液面又立即消失了,这就告诉我们,此时的二氧化碳液体离气区也是非常近的,可以说是接近了气态的液体。既然此时的二氧化碳既接近气态又接近液态,所以,只能处于临界点附近。这就是临界点附近饱和气液模糊不清的现象。

2. 测量实验

(1)测定承压玻璃管内二氧化碳的质面比常数 k 值

由于充进承压玻璃管内二氧化碳的质量不便测量,而玻璃管内径或截面积(A)又不易测准,因而实验中采用间接的方法来确定二氧化碳的比容,认为二氧化碳的比容与其高度是一种线性关系,具体如下两种方法:

①已知二氧化碳液体在 20 ℃,10 MPa 时的比容

$$v(20\ ℃,10\ \text{MPa}) = 0.001\ 17 \tag{3-23}$$

如前操作实地测出本实验台二氧化碳液体在 20 ℃,10 MPa 的液柱高度 Δh。(注意玻璃水套上刻度的标记方法)

由式(3-23)可知

$$v(20\ ℃,10\ \text{MPa}) = \frac{\Delta hA}{m} = 0.001\ 17 \tag{3-24}$$

则

$$\frac{m}{A} = \frac{\Delta h}{0.001\ 17} = k \tag{3-25}$$

那么在任意压力、温度下的二氧化碳的比容为

$$v = \frac{\Delta h}{m/A} = \frac{\Delta h}{k} \qquad (3-26)$$

式中　$\Delta h = h - h_0$；

　　　h——任意压力、温度下的水银柱高度；

　　　h_0——承压玻璃管内径顶端刻度。

②实地测出 CO_2 在某个温度 $T(\mathrm{K})$、压力 $p(\mathrm{MPa})$ 值，以及 CO_2 气体高差 Δh，再求出 CO_2 在 $T(\mathrm{K})$，$p(\mathrm{MPa})$ 时的比容 $v(T, p)$：

查表知 CO_2 的临界参数 $T_c = 304.3~\mathrm{K}$，$p_c = 7.29~\mathrm{MPa}$，对比参数为

$$p_r = \frac{p}{p_c}, \qquad\qquad T_r = \frac{T}{T_c}$$

由对比参数 p_r，T_r 的值，在通用压缩因子图中可查得 z 值。

因此　　　　　　　　　　　　　$v = \dfrac{zR_gT}{p}$　（$\mathrm{m^3/kg}$）

所以　　　　　　　　　　　$v(T,~p) = \dfrac{\Delta hA}{m}$　（$\mathrm{m^3/kg}$）

则可得　　　　　　　　　$k = \dfrac{m}{A} = \dfrac{\Delta h}{v(T,p)}$　（$\mathrm{kg/m^2}$）

那么在任意压力、任意温度下 CO_2 的比容为

$$v = \frac{\Delta h}{m/A} = \frac{\Delta h}{k}\quad (\mathrm{m^3/kg})$$

（2）测定低于临界温度 $t = 20~℃$ 时的等温线

①使用恒温器调定 $t = 20~℃$ 并要保持恒温。

②压力记录从 4.5 MPa 开始，当玻璃管内水银升起来后，应足够缓慢地转动活塞螺杆，以保证定温条件，否则来不及平衡，读数不准。

③按照适当的压力间隔取 h 值直至压力 $p = 10~\mathrm{MPa}$。

④注意加压后二氧化碳的变化，特别是注意饱和压力和饱和温度的对应关系、液化与汽化等现象，要将测得的实验数据与观察到的现象一并填入表 3.2 中。

⑤测定 $t = 25~℃$ 和 $t = 27~℃$ 时，其饱和压力和饱和温度的对应关系。

（3）测定临界等温线与临界参数，观察临界现象

测出临界等温线，并在该曲线的拐点处找出临界压力 p_c 与临界温度 t_c，并将数据填入表3.2中。

（4）测定高于临界温度 $t = 50~℃$ 时的等温线，并将数据填入表 3.2 中。

表 3.2　二氧化碳等温实验原始记录

$t = 20~℃$				$t = 31.1~℃$				$t = 50~℃$			
p/MPa	Δh	$v = \frac{\Delta h}{k}$	现象	p/MPa	Δh	$v = \frac{\Delta h}{k}$	现象	p/MPa	Δh	$v = \frac{\Delta h}{k}$	现象
45											

表 3.2(续)

t = 20 ℃				t = 31.1 ℃				t = 50 ℃			
p/MPa	Δh	$v=\dfrac{\Delta h}{k}$	现象	p/MPa	Δh	$v=\dfrac{\Delta h}{k}$	现象	p/MPa	Δh	$v=\dfrac{\Delta h}{k}$	现象
50											
60											
70											
80											
90											
100											
作出各条等温线所需时间											
分钟				分钟				分钟			

3.2.5 实验数据的记录与处理

(1)按表 3.2 的数据仿照图 3.7 再绘出三条等温线。

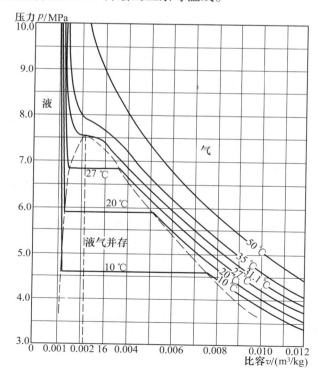

图 3.7 标准曲线

（2）将实验测得的等温线与图 3.7 所示的标准等温线比较，并分析其中的差异及原因。

（3）将实验测得的饱和温度与饱和压力的对应值与图 3.8 绘出的曲线相比较。

（4）将实验测得的临界比容与理论计算值一并填入表 3.3，并分析其中差异及原因。

表 3.3　临界比容 $v_c/(m^3/kg)$

标准值	实验值	$v_c = \dfrac{RT_c}{p_c}$
0.002 16		

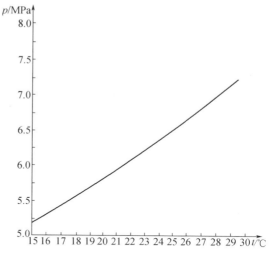

图 3.8　CO_2 饱和温度与饱和压力

3.2.6　实验注意事项

（1）作各条等温线时，实验温度不要超过 50 ℃，实验压力不要超过 100 MPa。

（2）一般压力间隔可取 0.2～0.5 MPa，但是在接近饱和状态与临界状态时，压力间隔应取 0.05 MPa。

（3）实验中读取 h 时，水银柱液面高度的读取要注意，应使视线与水银柱半圆形液面的中间对齐。

（4）不要在气体被压缩情况下打开油杯阀门，致使二氧化碳突然膨胀而逸出玻璃管，水银则冲出玻璃杯。如要卸压，应慢慢退出活塞杆使压力逐渐下降，执行升压过程的逆程序。

（5）为达到二氧化碳的定温压缩和定温膨胀，除保持流过恒温水套的水温恒定外，还要求压缩和膨胀过程进行得足够缓慢，以免玻璃管内二氧化碳温度偏离管外恒温水套的水温。

（6）如果玻璃管外壁或水套内壁附着小气泡，妨碍观测，可通过放充水套中的水，将气泡冲掉。操作和观测时要格外小心，不要碰到实验台本体，以免损坏承压玻璃管及恒温水套。

3.2.7　思考题

（1）如何理解实际气体汽化潜热随着压力增大而减小？

（2）如果实验压力远低于二氧化碳的临界压力，将可能观测到什么样的汽化现象？

3.3　饱和蒸汽压力和温度关系实验

水蒸气是人类在热机中应用最早的工质。虽然目前也应用燃气和其他工质,由于水蒸气具有易于获得、有适宜的热力参数和不会污染环境等优点,至今仍是工业上广泛应用的主要工质。在热力系统中用作工质的水蒸气距液态较近,且工作过程中经常应用其聚集状态的变化(如汽化、凝结),因而不应作为理想气体处理。工程应用中水及水蒸气需要按照实际气体来处理,其物理性质较理想气体复杂得多,不能用简单的数学式来表达。本实验通过研究饱和蒸汽的压力与温度的关系加深对水蒸气饱和状态的理解。

3.3.1　实验目的和要求

(1)通过观察饱和蒸汽压力和温度的关系,加深对饱和状态的理解;
(2)通过实验数据的整理,掌握饱和蒸汽 $p-t$ 关系图表的编制方法;
(3)学会温度计、压力表、调压器和大气压力计等仪表的使用方法。

3.3.2　实验原理

水由液态转变为气态的过程称为汽化,汽化又分为蒸发和沸腾。在水表面进行的汽化过程称为蒸发;在水表面和内部同时进行的强烈汽化过程称为沸腾。水由气相转变为液相的过程称为凝结,凝结是汽化的反过程。

液态水放置于一定压力的密闭容器内,随时有液面附近的动能较大的分子克服表面张力飞散到上面空间,同时也有液面上空间内的蒸汽分子碰撞回到液面,凝结成液态水。液态水的温度越高,分子运动越剧烈,水面附近动能较大的挣脱水表面变成水蒸气的分子数越多。如果容器空间没有其他气体,当容器空间中水蒸气分子逐渐增多,液面上蒸汽压力也将逐渐增大,水蒸气的压力越高,密度越大,水蒸气的分子与液面碰撞越频繁,变为水分子的水蒸气分子数也越多。达到一定状态时,这两种方向相反的过程就会达到动态平衡。此时,两种过程仍在不断进行,但宏观结果是状态不再改变。这种液态水和蒸汽处于动态平衡的状态称为饱和状态。处于饱和状态的蒸汽称为饱和蒸汽,液态水称为饱和水。此时,气液的温度相同,称为饱和温度,用 T_s 表示;蒸汽的压力称为饱和压力,用 p_s 表示。饱和蒸汽的特点是在一定容积中不能再含有更多的蒸汽,即蒸汽压力与密度为对应温度下的最大值。

升高温度并且维持一定值,则汽化速度加快,空间内蒸汽密度将增加。当增加到某一确定数值时,在液态水和蒸汽间又建立起新的动态平衡,此时蒸汽压力对应于新的温度下的饱和压力。水蒸气的饱和温度和饱和压力具有一一对应的关系,本实验通过调整密闭空间内定量水(和蒸汽)的温度,测试并记录不同温度下水蒸气的饱和压力,绘制饱和蒸汽压力与温度关系图。

3.3.3　实验装置

蒸汽发生器、压力表、温度计、可控数显温度仪和电流表等,如图 3.9 所示。

3.3.4　实验步骤

(1)熟悉实验装置及使用仪表的工作原理和性能。

(2)将电功率调节器调节至电流表零位,然后接通电源。

(3)调节电功率调节器并缓慢加大电流,待蒸汽压力升至一定值时,将电流降低0.2 A 左右保温,待工况稳定后迅速记录下水蒸气的压力和温度。重复上述实验,在0~1.0 MPa(表压)范围内实验不少于 6次,且实验点应尽量分布均匀。

(4)实验完毕后,将调压指针旋回零位,并断开电源。

(5)记录室温和大气压力。

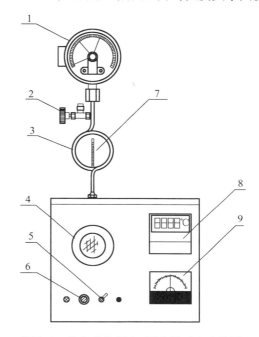

图 3.9　饱和蒸汽温度、压力关系实验装置

1—压力表;2—排气阀;3—缓冲器;
4—可视玻璃及蒸汽发生器;5—电源开关;
6—电功率调节器;7—温度计;8—可控数显温度仪;9—电流表

3.3.5　实验数据的记录和整理

1. 数据记录和计算(表 3.4)

表 3.4

实验次数	饱和压力/MPa			饱和温度/ ℃		误差		备注
	压力表读数 p'	大气压力 p_b	绝对压力 $p = p' + p_b$	温度计读数 t'	理论值 t	$\Delta t = t - t'$ /℃	$\dfrac{\Delta t}{t} \times 100\%$ /%	
1								
2								

表 3.4(续)

实验次数	饱和压力/MPa			饱和温度/ ℃		误差		备注
	压力表读数 p'	大气压力 p_b	绝对压力 $p = p' + p_b$	温度计读数 t'	理论值 t	$\Delta t = t - t'$ /℃	$\dfrac{\Delta t}{t} \times 100\%$ /%	
3								
4								
5								
6								

2. 绘制 $p - t$ 关系曲线

将实验结果点标在坐标上,清除偏离点,绘制曲线,如图 3.10 所示。

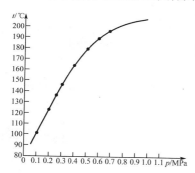

图 3.10　饱和水蒸气压力和温度的关系　　　　图 3.11　饱和水蒸气压力和温度的关系对数曲线

3. 总结经验公式

将实验曲线绘制在双对数坐标纸上,则基本呈一条直线,故饱和水蒸气压力和温度的关系式可近似整理成下列经验公式:

$$t = m\sqrt[n]{p}$$

4. 误差分析

将实验值与理论值进行比较,计算绝对误差与相对误差,分析产生误差的原因。

3.3.6　实验注意事项

(1)实验装置通电后必须有专人看管;

(2)实验装置使用压力为 1.0 MPa(表压),切不可超压操作。

3.4　空气在喷管内流动性能的测定实验

喷管是一些热工设备的重要部件,这些设备的工作过程和喷管中的气体的流动过程有密切的关系,实验观察气体完全膨胀时沿喷管的压力变化,测定流量曲线和临界压力比,可以帮助了解喷管中气体流动现象的基本特性,巩固和验证有关气体在喷管内流动的基本理论,掌握气流在喷管中流速、流量、压力的变化规律。加深对临界状态参数、背压、出口压力等基本概念的理解,还可进一步了解工作条件对喷管中流动过程的影响。

3.4.1　实验目的和要求

(1)巩固和验证有关气体在喷管内流动的基本理论,掌握气流在喷管中流速、流量、压力的变化规律,加深临界状态参数、背压、出口压力等基本概念的理解;

(2)测定不同工况($p_b > p_{cr}$, $p_b = p_{cr}$, $p_b < p_{cr}$)下,气流在喷管内流量 m 的变化,绘制 $m - p_b / p_1$ 曲线;分析比较 m_{max} 的计算值和实测值;确定临界压力 p_{cr};

(3)测定不同工况时,气流沿喷管各截面(轴向位置 x)的压力变化情况,绘制 $x - \dfrac{p_x}{p_1}$ 关系曲线,分析比较临界压力的计算值和实测值。

3.4.2　实验原理

1. 喷管内气体流动的基本规律

在实际喷管中气体的流动是稳定或接近稳定的,因此喷管内的气体在流动过程中,其状态参数 v、流速 c 和喷管截面积 A 应满足连续性方程,其微分形式为

$$\frac{dc}{c} + \frac{dA}{A} - \frac{dv}{v} = 0 \tag{3-27}$$

喷管管件的横截面积沿轴向距离 x(自进口截面算起)的变化规律用函数 $A = F(x)$ 表示。在设计的进气压力和排气压力条件下,气体在喷管内绝热流动时的压力变化可用下式表示

$$\frac{1}{p}\frac{\mathrm{d}p}{\mathrm{d}x} = -\frac{kM^2}{A(M^2-1)}\frac{\mathrm{d}A}{\mathrm{d}x} \tag{3-28}$$

式中 M 为马赫数,是表示气体流动特性的一个重要特性值,为气体流动速度与当地声速的比值。$M<1$ 时,气流流速小于当地音速,称气流作亚音速流动;$M=1$ 时,气流流速等于当地音速;$M>1$ 时,气流流速大于当地音速,称气流作超音速流动;当喷管的使用条件发生变化时,喷管内的气流的压力分布也发生变化,同时气流的流速和质量流量也将发生不同的变化。

2. 渐缩喷管

气体流经喷管的膨胀程度可以用压力比 γ_c 来表示:

$$\gamma_c = \frac{p_2}{p_1} \tag{3-29}$$

式中　p_2——喷管的排气压力;

　　　p_1——喷管的进气压力。

气体在渐缩喷管内绝热流动的最大膨胀程度取决于临界压力比 γ_{cr}:

$$\gamma_{\mathrm{cr}} = \frac{p_{\mathrm{cr}}}{p_1} = \left(\frac{2}{k+1}\right)^{\frac{k}{k-1}} \tag{3-30}$$

由(3-30)式可以看出,临界压力比 γ_{cr} 只与气体的绝热指数有关。对于双原子气体,$k=1.4$,$\gamma_{\mathrm{cr}}=0.528$。$p_{\mathrm{cr}}$ 为气体在渐缩喷管中膨胀所能达到的最低压力,称为临界压力,$p_{\mathrm{cr}}=\gamma_{\mathrm{cr}}p_1$,其取决于进口压力 p_1。气体在渐缩喷管中由 p_1 膨胀到 $p_2=p_{\mathrm{cr}}$,如图 3.12 中曲线 1 所示,是最充分的完全膨胀情形。此时喷管出口气流流速达到当地音速的数值,称为临界流速。当背压 p_{b} 低于临界压力 p_{cr} 时,气体在渐缩喷管中不能继续膨胀到背压 p_{b},而只能膨胀到临界压力 $(p_2=p_{\mathrm{cr}})$,这时,喷管内气流压力的变化情况仍如曲线 1 所示,不受背压 p_{b} 降低的影响,在喷管出口截面上的气流流速仍为临界流速。而气流一离开出口截面就发生突然的膨胀,压力降低到背压 p_{b},如图中的曲线 5 所示,并由此而引起一部分动能的损失。当背压 p_{b} 大于临界压力 p_{cr} 时,气体在渐缩喷管中一直膨胀到背压 p_{b} $(p_2=p_{\mathrm{b}})$,如图中曲线 2,3,4 所示的情况。

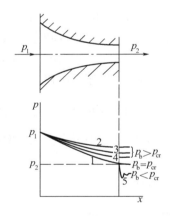

图 3.12　渐缩喷管中的压力分布

通过渐缩喷管的气体的质量流量 m 与压力比 γ_c 有关,函数关系如下:

$$m = A_2\sqrt{\frac{2k}{k-1}\frac{p_1}{v_1}\left[\left(\frac{p_2}{p_1}\right)^{2/k} - \left(\frac{p_2}{p_1}\right)^{k+1/k}\right]} \tag{3-31}$$

式中　A_2——喷管的出口截面积,m^2;

p_1, p_2——喷管进口截面上的气体压力与排气压力，Pa；

v_1——喷管进口截面上的气体比容，m^3/kg。

公式（3 – 31）的适用范围：$p_2 \geqslant p_{cr}$。

当 $p_2 = p_{cr}$ 时，（3 – 31）式可根据（3 – 30）式整理为

$$m_{max} = A_2 \sqrt{\frac{2k}{k+1}\left(\frac{2}{k+1}\right)^{\frac{2}{k-1}} \frac{p_1}{v_1}} \qquad (3 – 32)$$

该式表明，喷管的最大质量流量的数值取决于喷管进口气体
的状态，当背压小于临界压力时也保持不变。当喷管的进口
气体状态不变时，渐缩喷管内通过的质量流量与压力比的关
系参看图 3.13。

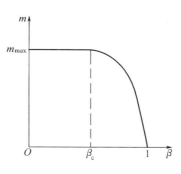

图 3.13　渐缩喷管的流量曲线

3. 渐缩渐扩喷管

气体流经渐缩渐扩喷管时完全膨胀的
程度取决于喷管的出口截面 A_2 与喷管中
的最小截面 A_{min} 的比值。喷管在设计条件
下工作时，气流完全膨胀，压力分布如图
3.12 中的曲线 1 所示，在最小截面上，压力
为临界压力，气流达到临界流速，在渐扩段
转入超音速流动。当排气压力低于设计值
时，气流膨胀不足，在喷管中仍如图 3.14
中的曲线 1 膨胀到设计的排气压力，气流
一旦离开出口截面就发生突然膨胀，压力
降到实际的排气压力，如图 3.14 中的线段
7 所示，并会因突然膨胀而引起气流的动能
损失。当排气压力高于设计值时，气流膨
胀过度，气流在喷管中膨胀到比外界背压
低的压力，而后在达到出口截面之前发生
压缩过程压力提高到外界背压而排出，如
图 3.14 中的线段 2，3，4 所示，且发生突然
压缩的位置随背压的提高而向最小截面移

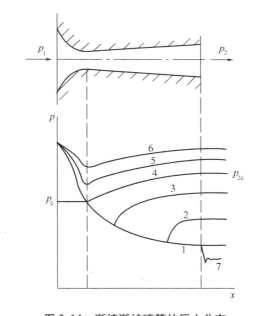

图 3.14　渐缩渐扩喷管的压力分布

1—在设计条件下时的压力分布；2，3，4，5，6—膨胀过度时的
压力分布；7—膨胀不足时喷管出口出现的突然膨胀

动。背压继续升高时，喷管中的最小截面上的压力将不再保持临界压力，而随背压升高而升
高。这时，气体在最小截面之前的渐缩段的膨胀情况也受背压改变的影响，各截面上的压力随
背压的升高而升高，如图 3.14 中的曲线 5，6 所示。喷管中开始出现压缩过程的位置发生在最
小截面时的压力比为 γ_{2c}，且有

$$\gamma_{2c} = \gamma_{cr} + (1 - \gamma_{cr}) \sqrt{1 - \frac{1}{a_2^2}} \tag{3-33}$$

式中，$a_2 = \dfrac{A_2}{A_{min}}$。

渐缩渐扩喷管也有像渐缩喷管一样图形的流量曲线，当 $\gamma \leqslant \gamma_{2c}$ 时出现最大流量。此最大流量仍可用式(3-32)计算，只要将式中的 A_2 改为 A_{min} 即可。

3.4.3　实验设备及操作规程

本实验装置由实验本体、1401 型真空泵及测试仪表等组成。测试系统主要由常规热工测量仪表及电子测试系统(传感器、放大器、函数记录仪及计算机等)组成。其中实验本体由进气管段、喷管实验段(渐缩喷管与渐缩渐扩喷管各一)、真空罐及支架等组成，实验装置系统图见图 3.15，采用真空泵作为气源设备，装在喷管的排气侧。气体流量用风道上的孔板流量计 3 测量。喷管排气管道中的压力 p_2 用真空表 5 测量。转动探针移动机构的手轮，可以移动探针测压孔的位置，测量的压力值由真空表 11 读取。

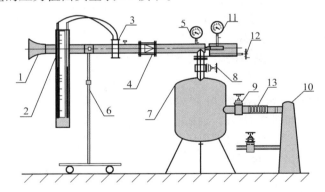

图 3.15　喷管实验装置系统

1—入口段；2—U 型压差计；3—孔板流量计；4—喷管；5—真空表；6—支撑架；
7—真空罐；8,9—调节阀；10—橡胶接管；11—真空表；12—探针取压移动机构；13—真空泵

实验中要求喷管的入口压力保持不变。风道上安装的调节阀门 8，可根据流量增大或减小时孔板压差的变化适当开大或关小调节阀。应仔细调节，使入口段 1 前的管道中的压力维持在实验选定的数值。

喷管排气管道中的压力 p_2 由调节阀门 8 控制，真空罐 7 起稳定排气管压力的作用。

当真空泵运转时，空气由实验本体的吸气口进入并依次通过进气管段、孔板流量计、喷管实验段然后排到室外。

喷管各截面上的压力采用探针测量,如图 3.16 所示,探针可以沿喷管的轴线移动,具体的压力测量是这样的:用一根直径为 1.2 mm 的不锈钢制的探针贯通喷管,探针右端与真空表相通,左端为自由端(其端部开口用密封胶封死),在接近左端端部处有一个 0.5 mm 的引压孔。显然真空表上显示的数值应该是引压孔所在截面的压力,若移动探针(实际上是移动引压孔)则可确定喷管内各截面的压力。

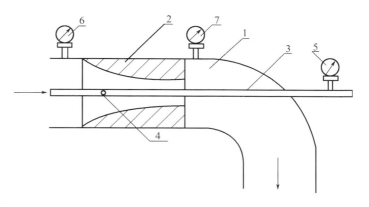

图 3.16 探针测压简图

1—管道;2—喷管;3—探针;4—测压孔;5—测量喷管各截面压力的压力表;
6—测量喷管入口压力的压力表;7—测量喷管排气管道压力的压力表

3.4.4 实验步骤

1. 手动操作

(1)装上所需的喷管,将"坐标校准器"调好,即使指针对准"位移坐标板"零刻度时,探针的测压孔正好在喷管的入口处。

(2)打开罐前的调节阀,将真空泵的飞轮盘车 1~2 转,一切正常后,打开罐后调节阀,打开冷却水阀门,而后启动真空泵。

(3)测量喷管轴向压力分布情况:$\frac{p}{p_1} = f(x)$。

①用罐前调节阀调节背压($p_b > p_{cr}$)至一定值(见真空表的读数),并记下该数值。

②转动手轮使测压探针由入口向出口方向移动,每移动一定的距离(一般为 5 mm)便停顿一下,记下该测点的坐标位置及相应的压力值,一直测至喷管出口之外,于是便得到一条在这一背压下的喷管的压力分布曲线。

(4)测量喷管流量变化情况:$m = f(p_2/p_1)$。

①转动手轮使测压探针引压孔移至喷管的出口截面之外,打开罐后调节阀,关闭罐前调节阀,而后启动真空泵。

②用罐前调节阀改变背压值,使背压值每变化 0.03 MPa 左右便停顿一下,同时将背压值和 U 型管压差计的差值记录下来,以便代入流量公式进行计算。当背压为某一值时,U 型管压差计的液柱便不再变化(即流量已达到最大值),此后尽管不断地降低背压,U 型管压差计

的液柱高度仍保持不变,这时再测 2~3 个值即可,到此为止,流量测量完成。

(5)渐缩喷管与渐缩渐扩喷管(具体尺寸见图 3.17 与图 3.18)的压力与流量测量方法相同,其曲线参见图 3.12,图 3.13,图 3.14 与图 3.19。

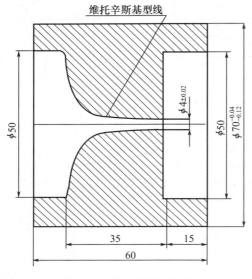

图 3.17　渐缩喷管结构图

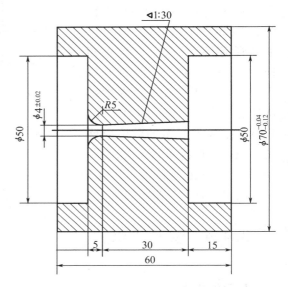

图 3.18　渐缩渐扩喷管结构图

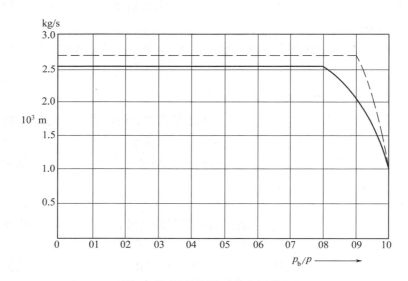

图 3.19　渐缩渐扩喷管流量曲线

（6）打开罐前调节阀,关闭罐后调节阀,让真空罐充气;3 min 后关闭真空泵,立即打开罐后调节阀,让真空泵充气(防止回油);最后关闭冷却水阀门。

2.计算机操作

（1）按图 3.20 所示接线。

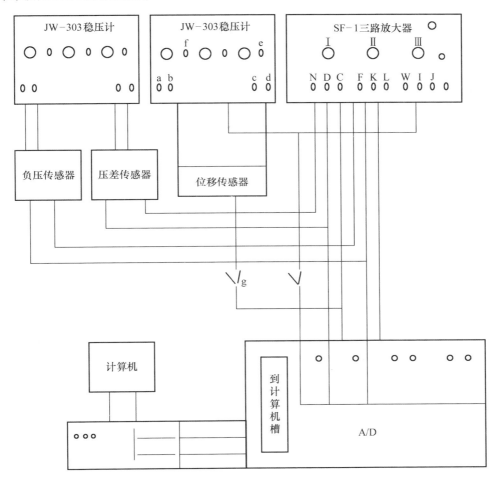

图 3.20　计算机数据采集接线图

（2）测量前将负压和压差电位器进行调整,使负压和压差直流输出信号为零。

（3）测量喷管压力变化情况时,应使 a 和 b 之间电压保持为 8.7 V,使 c 和 d 之间的电压保持为 1.3 V。

（4）转动手轮使探针测压孔对准喷管的入口零处（指针对准标板零刻度即可），并使位移信号电压输出为 0 V，如果不为 0 V 则调整稳压器微调 e 使之为 0 V。然后，转动手轮使探针测压孔对准喷管的出口处，（指针对准坐标刻度 35 mm 即可），并使位移信号电压输出为 3.5 V，如果不是 3.5 V，则调整稳压器微调 f 使之为 3.5 V（0 V 和 3.5 V 之间要反复多次才能调好）。

（5）启动真空泵，使真空度达到最大（约为 0.09 MPa）。在放大器的 ∑ 上分别调整输出放大倍数使测压输出 ≤5 V，测流量输出在 3～5 V 之间。

（6）以上动态测试完毕后，打开计算机。运行相应的实验软件，进行数据采集。

（7）运行喷管实验分析软件，在首页闪动的字体"喷管实验分析"的字符上，按下鼠标右键，出现提示菜单，进入"测试控制面板"。

（8）计算机进入测量"压力位移曲线"界面，按下电机行进开关按钮，使"位移指示指针"对准"位移坐标板"的零刻度。开启真空泵，调整罐前的调节阀，使喷管的背压为某个值；按下数据采集开关，这时，压力位移曲线会随着电机的行进渐渐地在计算机屏幕中显示出来，同时，还会显示当前的位移值与负压值，当水平位移值达到 50 mm 时停止；若按下"保存数据"按钮，整条曲线数据将会保存起来；若按下"暂存曲线"按钮，整条曲线会被暂存起来，这样做的目的是为了在同一坐标下显示多条曲线；若按下"制作报告"按钮，当前的所有的实验参数和测量数据将会在 Excel 显示出来，同时还会把测量曲线给 EXCEL；若调整罐前的调节阀，改变喷管的背压值，重复以上步骤，便可得到另一组位移压力曲线。

（9）计算机进入测量"压力流量曲线"界面。按下电机行进开关按钮，将"位移指示指针"移至"位移坐标板"大于 40 mm 刻度处；逐渐关闭罐后的压力调节阀，按下数据采集开关，这时，压力流量曲线会随着压力调节阀渐渐的关闭在计算机屏幕中显示出来，同时，还会显示当前的压差值与流量值；当罐后的压力调节阀彻底关闭时，屏幕上会显示一条完整的压力流量曲线。数据存储与处理同上。

（10）关闭微机和真空泵。

3.4.5　实验数据记录与处理

1. 实验数据记录

（1）喷管尺寸见图纸，如图 3.18 所示。

（2）喷管入口温度为 t_1，入口压力为 p_1。

入口温度 t_1 为室温 t_0。由于在进气管中装有测流量孔板，气流流过孔板将有压力损失。p_1 将略低于大气压力 p_b，流量越大，低得越多。根据经验公式和实测，可由下式确定入口压力 p_1：

$$p_1 = p_b - 0.97\Delta p$$

式中　Δp——孔板流量计 U 型管压差，若 U 型管压差计读数为 Δh kPa，大气压力计读数为 p_b MPa，则

$$p_1 = p_b - 0.97 \times 0.001 \Delta h$$

（3）孔板流量计计算公式：

$$m = 1.373 \times 10^{-3} \sqrt{\Delta h} \, \varepsilon \beta \gamma$$

式中　ε——流束膨胀系数，$\varepsilon = 1 - 2.87 \times 10^{-4} \Delta h / p_b$；

　　　β——气态修正系数，$\beta = 53.8 \sqrt{\dfrac{p_b}{t_0 + 273.15}}$；

　　　γ——几何修正系数，此处取 1；

　　　p_b——大气压力计读数，MPa；

　　　t_0——室温，℃；

　　　Δh——U 型管压差计读数，kPa。

（4）喷管的一个重要特征参数——临界压力

$p_V = 0.528 p_1$ 在真空表上的读数：

$$p_V(真空度) = p_b - p_{cr} = p_b - 0.528(p_b - 0.000\,97 \Delta h)$$

$$p_V(真空度) = 0.472 p_b + 0.000\,51 \Delta h$$

折算为 mmHg：

$$p_V(真空度) = 3.54 \times 10^3 p_b + 0.383 \Delta h$$

式中　p_b——大气压力计读数，MPa；

　　　Δh——U 型管压差计读数，kPa。

（5）喷管流量 m 的理论计算值

在稳定流动中，任何截面上的质量均相等，流量大小可由下式确定：

$$m = A_2 \sqrt{\frac{2k}{k-1} \frac{p_1}{v_1} \left[\left(\frac{p_2}{p_1} \right)^{\frac{2}{k}} - \left(\frac{p_2}{p_1} \right)^{\frac{k+1}{k}} \right]}$$

式中　k——绝热指数；

　　　A_2——出口截面积，m²；

　　　v_1, v_2——分别表示进、出口截面上气体的比容，m³/kg；

　　　p_1, p_2——分别表示进、出口截面上气体的压力，Pa。

当出口截面压力等于临界压力 p_{cr}，即

$$p_2 = p_{cr} = \left(\frac{k}{k+1} \right)^{\frac{k}{k-1}} p_1 = 0.528 p_1$$

则

$$m = m_{max} = A_2 \sqrt{\frac{2k}{k+1} \left(\frac{2}{k+1} \right)^{\frac{2}{k-1}} \frac{p_1}{v_1}}$$

对于空气，代入 $k = 1.4$，$R_g = 287.1$ J/kg·℃，

$$m = m_{max} = 0.685 A_{min} \sqrt{\frac{p_1}{v_1}} = 0.040 p_1 A_{min} \sqrt{\frac{1}{T_1}}$$

（6）临界压力的理论计算值

$$p_{cr} = 0.528 p_1$$
$$= 0.528(p_b - 0.000\ 97\Delta h)$$
$$= 0.528 p_b - 0.000\ 5\Delta h$$

2. 实验数据记录表（见表 3.5，表 3.6）

表 3.5　流量 – 压力比数据表格（$p_b = 0.1$ MPa）

$\Delta h/\text{kPa}$								
$m(\times 10^{-3}\text{kg/s})$								
p_V/MPa								
$p_2 = p_b - p_V/\text{MPa}$								
p_2/p_1								

表 3.6　位移 – 压力比数据表格（$p_b = 0.1$ MPa）

（1）亚临界工况：p_2（绝对压力）$= p_b - p_{V2}$（真空度）$=$　　　MPa

x/mm								
p_V/MPa								
$p_x = p_a - p_V/\text{MPa}$								
p_x/p_1								

（2）亚临界工况：p_2（绝对压力）$= p_b - p_{V2}$（真空度）$=$　　　MPa

x/mm								
p_V/MPa								
$p_x = p_b - p_V/\text{MPa}$								
p_x/p_1								

（3）超临界工况：p_2（绝对压力）$= p_b - p_{V2}$（真空度）$=$　　　MPa

x/mm								
p_V/MPa								
$p_x = p_b - p_V/\text{MPa}$								
p_x/p_1								

3. 实验数据处理

（1）以压力为纵坐标，探针测压孔位置为横坐标，绘制不同工况时喷管内压力分布曲线。

（2）以流量为纵坐标，压力为横坐标，绘制流量曲线，确定临界压力比，并与根据测定的参数计算出的理论曲线进行比较。

3.4.6　实验注意事项

（1）实验中试件有渐缩喷管和渐缩渐扩喷管，两者任选其一进行实验。

（2）启动真空泵前，对真空泵传动系统、油路、水路进行检查，检查无误后，打开背压调节阀，用手转动真空泵飞轮一周，去掉气缸内过量的油气，启动电动机，当转速稳定后开始进行实验。

（3）由于测压探针内径较小，测压时滞现象比较严重，当以不同速度摇动手轮时，画出的曲线将不重合。因此，为了取得准确的压力值，摇动手轮必须足够慢。同理，描绘流量曲线时，开关调节阀的速度也不宜过快。

（4）停机前，先关真空罐出口调节阀，让真空罐充气，关真空泵后，立即打开此阀，让真空泵充气。防止真空泵回油，也有利于真空泵下次启动。

（5）与本实验台配套的各种仪器设备使用方法和使用注意事项，详见产品说明书。

3.4.7　思考题

（1）渐缩喷管最大流量和缩放喷管最大流量的影响因素有哪些？

（2）滞止参数与流动过程的可逆性有关吗？

3.5　压气机性能实验

往复式压气机是通用的机械设备之一，它的工作过程由基本的热力过程组成。通过实验来绘制示功图、测定压气机的性能指标以及分析压缩过程的过程指数，可以分析压气机的运行是否处于正常工况，并在工作不正常时找出调整的方法。

3.5.1　实验目的和要求

（1）巩固和验证压气机工作过程中理想气体压缩过程基本理论，加深对基本概念的理解；

（2）测定压气机工作过程数据并计算各效率值和过程平均指数，掌握压气机过程计算方法及分析压气机工作特性。

3.5.2　实验原理

气缸中活塞对气体所做的功称为指示功,也就是工质对热机所做的实际功,它反映了工质在热机内部的实际热力过程与热力循环的情况。指示功的测量是用专门的仪器来测定热机内部的工作过程和工作循环中各点的工质参数来实现的,通常以示功图的形式表示出来。而有效功表征的是热力机械可以用来驱动其他工作机械的能力,它反映了热机容量的大小,表示人们可以实际加以利用的功,有效功需要用测功机在测定了热机主轴输出端的扭矩和转数之后再加以确定。下面我们主要介绍表征压气机性能的几个重要指标以及使用示功器绘制示功图的方法。

1. 压气机的性能指标

(1)指示效率 η_i

压气机理想功率 N_o 与指示功率 N_i 之比称为指示效率。

理想功率可分为定温可逆压缩功率 $N_{o,t}$ 与绝热可逆压缩功率 $N_{o,s}$。因此指示效率相应分为定温指示效率与绝热指示效率。

定温指示效率为

$$\eta_{i,t} = \frac{N_{o,t}}{N_i} \tag{3-34}$$

绝热指示效率为

$$\eta_{is} = \frac{N_{o,s}}{N_i} \tag{3-35}$$

假设压气机在吸气状态时的生产量为 $V_s(\mathrm{m^3/min})$,则理想功率为

$$N_o = \frac{V_s l_o}{60} \tag{3-36}$$

式中　l_o——在吸气状态时每压缩 1 $\mathrm{m^3}$ 的气体需要的理想功。

可以按照下述公式进行计算,定温可逆压缩时:

$$l_{o,t} = 10^2 p_1 \lg \frac{p_2}{p_1} \tag{3-37}$$

绝热可逆压缩时:

$$l_{o,s} = 10^2 \frac{k}{k-1} p_1 \left[\left(\frac{p_2}{p_1} \right)^{\frac{k}{k-1}} - 1 \right] \tag{3-38}$$

式中　p_1——压气机的吸气压力,即当地当时大气压力,bar;

p_2——压气机的排气压力,即储气罐的绝对压力,bar;

k——绝热指数,对于双原子气体 $k = 1.4$。

（2）机械效率 η_m

压气机的指示功率 N_i 与机轴实际消耗的有效功率 N_e 之比称为机械效率,即

$$\eta_m = \frac{N_i}{N_e} \tag{3-39}$$

（3）容积效率 η_V

压气机生产量 $V_s(\mathrm{m^3/min})$ 与活塞排量 $V_h(\mathrm{m^3/min})$ 之比称为容积效率,即

$$\eta_V = \frac{V_s}{V_h} \tag{3-40}$$

式中　V_h——活塞每分钟排量。单缸单动式压气机按下式计算:

$$V_h = \frac{\pi}{4}D^2 Sn \tag{3-41}$$

式中　D——活塞直径,m;

　　　S——冲程,m;

　　　n——压气机转数,r/min。

以上各项效率均随压气机运行时的压力比 p_2/p_1 的变化而变化。在不同的压力比时,测定这些效率并绘于 $\eta - \dfrac{p_2}{p_1}$ 坐标图上,可以得到各效率随压力比而变化的曲线,它们反映了压气机的性能,称为压气机的性能曲线。

压气机的实际压缩过程介于定温压缩与定熵压缩之间,过程指数在压缩过程中不断地变化,根据压气机的理论轴功与气体压缩功的关系,可以求得平均的过程指数 n,参考图 3.21。

因此,用过程的平均指数 n 就可以计算压缩过程终了的气体状态。

$$n = \frac{-\int_1^2 V\mathrm{d}p}{\int_1^2 p\mathrm{d}V} = \frac{S_{12cd1}}{S_{12ab1}} \tag{3-42}$$

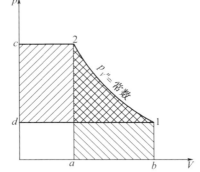

图 3.21　在 $p - V$ 图上压缩功与轴功的表示

式中　S_{12cd1}——图 3.21 中由点 1,2,c,d,1 所围的面积;

　　　S_{12ab1}——图 3.21 中由点 1,2,a,b,1 所围的面积。

2. 测功机的原理

指示功的测量仪器主要有活塞式示功器、气电式示功器、压电式示功器等。活塞式示功器

主要用于转速为 500 ~ 1 000 r/min 以下的往复式热力机械,如蒸汽机、内燃机、压缩机等;气电式示功器是广泛用于测定往复式热力机械示功图的重要仪器之一,它适用于曲轴转速小于5 000 r/min、压力变化范围为 0 ~ 150 Pa 表压力的情况;压电式示功器是应用强电介质的压电效应制成的,以压电式压力传感器作为敏感元件来测量热力机械的示功图,能可靠地用于测定各种往复式热力机械的示功图。在这里我们主要介绍气电式示功器与压电式示功器以及用于测量示功图面积的测面仪。

（1）气电式示功器

气电式示功器由膜片式压力传感器、感应式上死点传感器、闸流管继电器、记录器等部件组成,如图 3.22 所示。其工作原理如下:

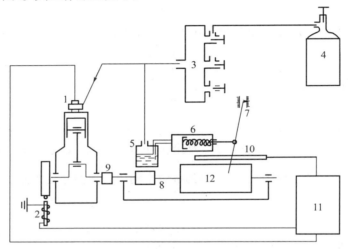

图 3.22　气电式示功器的工作原理图

1—压力传感器;2—上死点传感器;3—气体分配器;4—气瓶;5—储油缸;6—柱塞;
7—记录笔;8—离合器;9—弹性联轴器;10—高压导电杆;11—闸流管继电器;12—记录转筒

在绘制示功图时,压气机的一端通过联轴器带动装有记录纸的转筒 12,储气瓶 4 中所装有的氮气（或空气）的压力应该高于压气机运行时气缸中的最高压力。打开气瓶阀门时,瓶内的气体通过气体分配器件进入储油缸 5,再通过油将压力传递给柱塞 6,并带动记录笔 7。上述压力也同时由气体分配器直接通入装在气缸头上的压力传感器 1,当压气机运转至工质压力与传感器内的气体压力近于相等时,压力传感器中的膜片即产生变位被压向上,在这一瞬间膜片与传感器内的中心电极接通,闸流管继电器 11 就产生一个高压脉冲,此高压脉冲经由高压导电杆 10 引至记录笔录上。在这一瞬间记录笔录与转筒 12 的间隙跳过一次电火花,记录纸上被击穿一个小孔,留下一个黑点。当压气机气缸内气体压力下降到略低于气体压力时,传感器中膜片落下,与中心电极切断,电火花再次出现,并又在记录纸上穿一个小孔,留下一个黑点。该黑点在记录纸上的纵坐标高度,表示在某一曲轴转角 φ(由横坐标位置表示)时气缸内气体压力 p 的数值。

综上所述,压气机每经过一个工作循环,在记录纸上就留下两个黑点。如果把传感器中膜片上面的气体作用力从零逐渐增加,一直加到超过气缸中的工质的最高压力为止,则又随着工作循环的不断进行,在转筒记录纸上将相继得到 a,b,c,d,e,f,g 等无数个点,如图 3.23(a)所示。将这些点移到同一工作循环上,就构成了所求的 $p-\varphi$ 展开式示功图,如图 3.23(b)所示。

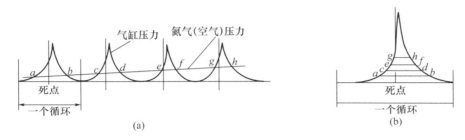

图 3.23 气电式示功器示功图形成原理图

气电式示功器测绘示功图的操作步骤如下:

①接通闸流管继电器电源,预热 5 min。装上记录纸后,再打开高压气瓶控制阀接通气体分配器。

②测绘大气压力线。接上离合器,旋转压力传感器的旋塞,与气体分配器接通。将放气阀打开,按下"校验"开关,示功图纸上即得到一条大气压力线。

③测绘示功图。关闭放气阀,打开进气阀,使高压气体与传感器接通,此时记录笔将移到最高位置。关闭进气阀后同时按下"示功图"开关,再将放气阀缓慢地打开,降低气体系统压力。记录笔就缓慢地移动,并不断地有火花发生,直到记录笔停止跳火为止,示功图即绘好了。

④测绘上死点线。绘好示功图后,将进气阀打开,使气瓶与传感器相通,再关进气阀。按下"上死点"开关后,缓慢地打开放气阀排气,直至记录笔恢复到原始位置为止,即得到了上死点线。

⑤旋转压力传感器上的旋塞,与气体分配器切断,脱开离合器,便可取下示功图纸。

(2)压电式示功器

压电式示功器的原理系统图见图 3.24。这个系统主要由压电石英压力

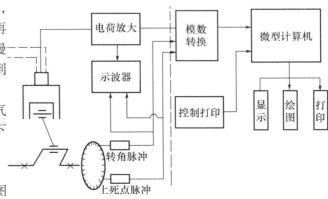

图 3.24 压电式示功器系统图

传感器、电荷放大器、曲轴转角脉冲触发装置、示波器、照相装置等组成。

测试进行时由安装在压气机气缸头上的压电石英压力传感器(如图 3.25 所示)采集气缸内的压力信号,通过电荷放大器后传给示波器。由于气缸内的压力总是随曲轴转角而变化的,因此气缸瞬时压力应该准确地对应于相应的曲轴转角。通常可以利用缝隙圆盘式光电曲轴转角脉冲触发装置进行采样,所用的光电传感器由红外线发送器、接受器以及放大器等组成。圆盘上缝隙间隔的大小决定着采样的时间间隔。为了控制采样开始、采样同步和确定上死点的位置,利用圆盘上的长缝隙和另一个光电感受器来产生上死点标记脉冲信号。

用压电式示功器测得的示功图可以直接显示在示波器的屏幕上,再用照相装置拍成照片,如图 3.26 所示。也可以采用现代比较先进的压气机－计算机测量系统,即将压电石英压力传感器采集到的模拟信号经放大后通过模数转换变成数字信号,然后输入到计算机内进行数据处理,在该系统配置适当的应用软件后,除了完成自动测量外,还可以立即计算平均指示压力,并在绘图仪上画出示功图等。

(3)测面仪

根据示功图的面积可以求得压气机的指示功率,而示功图的面积通常用测面仪来测定。图 3.27 为极式测面仪示意图。主要由描臂 1、极臂 2 及滑架 3 等部件组成。极臂一端有重块 4,其下部

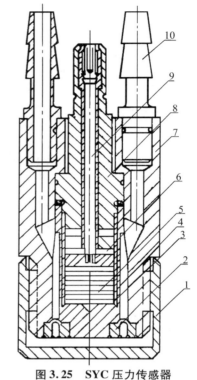

图 3.25　SYC 压力传感器

1—护罩;2—承压膜;3—温度补偿片;

4—绝缘衬圈;5—石英晶体片;6—电极片

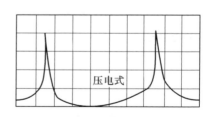

图 3.26　压电式示功器测得的示功图

有极针 5(用于固定测面仪的位置),另一端用活动铰支点 6 与滑架连接。描臂的一端有描针 7。测量示功图面积时描针要沿示功图曲线移动,滑架可以在描臂上移动,用以调节描臂长度,使其与待测面积的比例尺相适应。滑架上有测轮 8、记录轮 9 及油标 10。测轮与记录轮之间用蜗轮蜗杆传动,测轮转一周,记录轮转一格,测轮分为 10 大格,每一大格又分为 10 小格,油标上亦有 10 格,这 10 格的总长度与测轮的 9 小格长度相等。利用上述设备可以使实验数据具有三位有效数字。

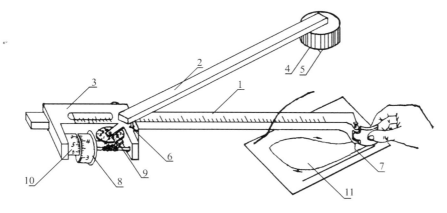

图 3.27　极式测面仪示意图

1—描臂；2—极臂；3—滑架；4—重块；5—极针；6—活动铰支点；

7—描针；8—测轮；9—记录轮；10—油标；11—示功图纸

测面仪的使用方法如下：

①将待测示功图纸固定在铺有白纸的平整绘图板上。

②根据图形的大小，移动滑架，对好描臂长度，以选取适当的比例（对示功图通常取 1:1）。

③把极针固定在适当的位置，装好测面仪。先用描针粗略地沿所测面积的边缘移动一周，以检查测轮是否灵活，移动时有无障碍物。若有，则应重新调整。

④在所测示功图边缘上任选一点，定为起点，将描针移至起点，记下测面仪的初读数。然后将秒针准确地按图形轨迹沿顺时针方向移动一周，回到起点，记下终读数。以初、终读数之差乘上面积常数（测面仪初、终读数之差为 1 时，所对应的面积数值称为面积常数，它随描臂长度而定，单位为平方厘米/分度，其具体数值可根据滑架在描臂上的固定位置在测面仪的说明书上查得），就可以得到示功图的面积。通常应测量 2~3 次，取其平均值。

3.5.3　实验设备

实验所用的设备及仪器与仪表有压气机、储气罐、示功器、测面仪、转速表、孔板、U 型管压差计、功率表、温度计、大气压力计、压力表等。

实验装置系统图如图 3.28 所示，单缸单动水冷立式空气压缩机 1 用电动机 3 来拖动，气缸上装有示功器 4 来测绘示功图。运行时，空气经过滤器 5 过滤后进入气缸，经过压缩后进入储气罐 2，再经过调节阀 7 及孔板 13 排出。调节阀主要用来调节储气罐内的压力 p_2，也就是调节压力比 p_2/p_1。p_2 由压力表 6 来测量，U 型管压差计 10 用来测量孔板压差。孔板前的温度由温度计 9 来测定。电动机消耗的功率用功率表 8 来测定。

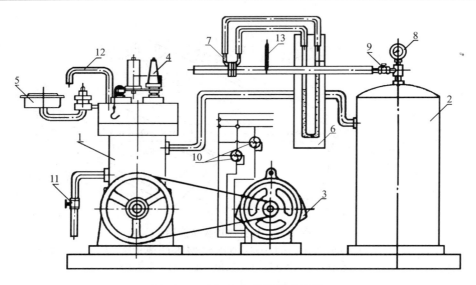

图 3.28　压气机实验装置系统图

1—压气机;2—储气罐;3—电动机;4—示功器;5—空气滤清器;6—压力表;7—调节阀;8—功率表;
9—温度计;10—U 型管压差计;11—冷却水进口阀;12—冷却水出口管;13—孔板

3.5.4　实验步骤

调节储气罐的排气量,在维持储气罐内压力稳定的条件下,测定以下几个量:

1. 压气机进气压力 p_1 及排气压力 p_2

p_1 为当时的大气压力,用大气压力计来测定;p_2 为储气罐内气体的绝对压力,由压力表的读数加上当时的大气压力而得。

2. 压气机机轴所消耗的功率 N_e

N_e 可以由原动机的实际功率推算,即

$$N_e = N\eta_d\eta_n \qquad\qquad (3-43)$$

式中　　N——电动机消耗的电功率,kW,用功率表来测量;

　　　　η_d——电动机的效率,由所配用的电动机效率曲线查得;

　　　　η_n——皮带传动效率,一般值取为 0.92 ~ 0.95。

3. 指示功率 N_i

用示功器测绘示功图,并用测面仪测量示功图面积,测绘四张示功图,选取平均值作为测

量结果,由此求得平均压力 p_i,再由下式计算指示功率:

$$N_i = \frac{nSp_iF}{6\,000} \tag{3-44}$$

式中　p_i——平均指示压力,bar;

　　　F——活塞面积,cm^2;

　　　S——活塞冲程,m。

4. 压气机生产量 V_s

在稳定运行的情况下,压气机的生产量等于自储气罐放出的气体质量 $m(kg/min)$。m 的数值根据装在储气罐排气管道上的孔板流量计测量的压差值,从绘好的孔板流量曲线查得,再换算成按吸气状态计算的 V_s 值:

$$V_s = \frac{m}{\rho_1} \tag{3-45}$$

式中　ρ_1——吸气状态的空气密度,kg/m^3,根据当时的大气压力和室温计算。

5. 理论轴功 $\int_1^2 V\mathrm{d}p$ 和压缩功 $\int_1^2 p\mathrm{d}V$

根据大气压力值和压气机的余隙容积 V_c 定出示功图的原点,如图 3.29 所示,并测量面积 $12cd1$ 与面积 $12ab1$。

压气机的余隙容积 V_c 为预先测定的已知量。可以用灌油法测定,即将活塞推至死点的位置,用机油灌满气缸,根据灌油量确定余隙容积的数值。

实验时,根据当地压气机的最高工作压力,维持储气罐压力为若干不同值分别重复测定各项数据。在压气机运行中,储气罐内的压力不得超过允许的数值。

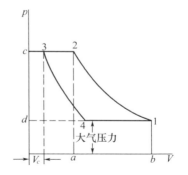

图 3.29　确定示功图坐标原点位置

3.5.5　实验数据的记录与处理

(1)实验进行前应先记录空气压缩机实验设备规范,如表 3.7。

表 3.7　空气压缩机实验设备规范

序号	名称	规范	序号	名称	规范
1	型式		5	活塞直径/cm	
2	生产量/(m³/min)		6	额定转速/(r/min)	
3	最高工作压力/bar		7	额定功率/kW	
4	活塞冲程/m				

（2）记录实验测定的数据并计算各效率值和过程平均指数,填入表3.8中;在方格纸上绘出压气机的性能曲线。

表3.8　压气机性能实验记录

大气压力　bar			室温　℃		相对湿度　%		孔板直径　cm			排气管内径　cm		
序号	1	2	3	4	5	6	7	8	9	10	11	12	13
项目	储气罐压力	输入电功率	电动机效率	压气机生产量					示功图面积	理论轴功	压缩功	压气机转速	活塞排量
				孔板压差	孔板前温度	孔板流量系数	质量流量	生产量					
符号	p_2	N	η_d	Δh	t_2	μ	m	V_s	f	$12cd1$	$12ab1$	n	V_h
单位	bar	kW	%	mmH$_2$O	℃		kg/min	m^3/min	cm^2	cm^2	cm^2	r/min	m^3/min

3.5.6　实验注意事项

在使用测面仪时应注意以下事项:
（1）测面仪为比较精密的仪器,使用时应该轻拿轻放,切不可碰撞。
（2）测面仪本身的误差可以用一个标准试尺测定。此尺一端有一针尖,另一端有一小孔,可以引导描针画出一个标准圆面积。将标准圆面积与读数所示的面积相比较,即可以求得仪器本身的系统误差。

3.5.7　思考题

（1）试根据测绘出的示功图,分析该压气机的工作是否正常。
（2）分析各项效率随压力比变化的趋势以及改善压气机性能的主要途径。

3.6　绝热节流效应的测定

绝热节流效应在工程上有很多应用。利用节流的冷效应是普通制冷以及空气和其他气体液化的常用方法。节流效应也是物性量,在研究物质的热力学性质方面有重要作用。根据测定的节流效应的数据可以导出比较精确的经验状态方程式。测定绝热节流效应的基本方法,是在维持气体与周围环境没有热交换的条件(即绝热条件)下对气体节流,测定其节流前后的压力与温度。

3.6.1 实验目的和要求

(1)加深对管内气体流动绝热节流过程的理论分析及感性认识,验证气体流动绝热节流过程状态参数变化趋势;

(2)测定气体绝热节流前后状态参数变化,计算绝热节流的微分效应和积分效应;

(3)掌握实验用节流器的工作原理及使用方法。

3.6.2 实验原理

流体在管道内流动时,有时流经阀门、孔板等设备,由于局部阻力,流体压力降低,这种现象称为节流现象,如在节流过程中流体与外界没有热量交换,就称为绝热节流,绝热节流过程是典型的不可逆过程。流体在节流孔口附近发生强烈的扰动及涡流,处于极度不平衡状态,故不能用平衡状态热力学方法分析孔口附近的状况。但在距离孔口较远的地方,流体仍处于平衡状态,若取足够长的管段作为控制体积系统,由绝热流动的能量方程式稍作整理可得

$$h_1 = h_2 + \frac{1}{2}(c_{f_2}^2 - c_{f_1}^2) \qquad (3-46)$$

在通常情况下,节流前后流速 c_{f_1} 和 c_{f_2} 差别不大,流体动能差与 h_1 及 h_2 相比极小,可忽略不计,可得

$$h_1 = h_2 \qquad (3-47)$$

该式表明,经节流后流体焓值仍恢复到原值。

对于理想气体,其焓值是温度单值函数,焓值不变,则温度也不变。节流后的其他状态参数可依据压力及温度求得。实际气体节流过程的温度变化比较复杂,节流后温度可以降低、升高,也可以不变,视节流时气体所处的状态及压降的大小而定。

绝热节流过程的温度变化,可从分析焓值不变时温度对压力的依变关系及焦耳-汤姆逊系数着手。根据焓的一般方程:

$$dh = c_p dT + \left[v - T \left(\frac{\partial v}{\partial T} \right)_p \right] dp \qquad (3-48)$$

对于焓值不变的过程,若用 μ 表示焦耳-汤姆逊系数,式(3-48)可改写为

$$\mu = \left(\frac{\partial T}{\partial p} \right)_h = \frac{T \left(\frac{\partial v}{\partial T} \right)_p - v}{c_p} \qquad (3-49)$$

系数 μ 也称为绝热节流的微分节流效应,即气流在节流中压力变化为 $\mathrm{d}p$ 时的温度变化。当压力变化为一定数值时,节流所产生的温度差称为节流的积分效应。按状态方程式求得 $\left(\dfrac{\partial v}{\partial T}\right)_p$,并与气体的 T,v 一起带入式(3-49),即可求得节流前后温度变化。由于节流过程压力下降($\mathrm{d}p < 0$),所以:

若 $T\left(\dfrac{\partial v}{\partial T}\right)_p - v > 0$,$\mu$ 取正值,节流后温度降低;

若 $T\left(\dfrac{\partial v}{\partial T}\right)_p - v < 0$,$\mu$ 取负值,节流后温度升高;

若 $T\left(\dfrac{\partial v}{\partial T}\right)_p - v = 0$,$\mu = 0$,节流前后温度不变。

理想气体在任何状态下绝热节流,$\mu \equiv 0$,故 $T_2 = T_1$,实际气体则要依其状态方程的具体形式和节流前气体状态而定。

气体因为节流引起的温度变化相对于气体的温度值来说是很小的量。如果将式(3-49)中的温度和压力微分量用与温度、压力本身的数值相比相当小的有限值代替,所得结果十分接近实际。于是,微分节流效应可以根据下式直接测定:

$$\mu = \left(\frac{\Delta T}{\Delta p}\right)_h \tag{3-50}$$

测定时,通常维持节流的压力降 Δp 为 1 bar 左右。0 ℃ 的空气绝热节流时,压力每降 1 bar,温度约降低 0.28 ℃。

积分节流效应($T_2 - T_1$)与微分节流效应 μ 的关系如下:

$$T_2 - T_1 = \int_{p_1}^{p_2} \mu \mathrm{d}p \tag{3-51}$$

或者表示为

$$T_2 - T_1 = \sum_{p_1}^{p_2} \mu \Delta p \tag{3-52}$$

式中 p_1,T_1——节流前气体的压力与温度;

p_2,T_2——节流后气体的压力与温度。

直接测定积分节流效应很方便。只要实验的压力范围足够大,就可以根据直接测定的不同压力降时的积分节流效应($T_2 - T_1$)数据,在 $T-p$ 图上画出一条等焓线,如图 3.30 所示。等焓线的斜率即为式(3-49)所表示的微分节流效应。改变节流气体的状态(p_1,T_1),可以得到不同焓值的等焓线,从而求得微分节流效应与温度、压力的关系。

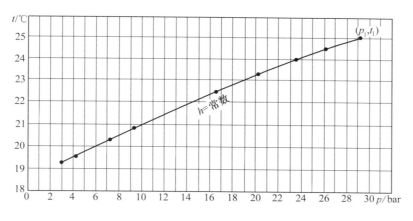

图 3.30　$t-p$ 图上的等焓线

3.6.3　实验设备

实验用的仪器和仪表有节流器、恒温器、标准压力表、温度计(测温电阻和电桥)、大气压力计和气源设备等。

实验装置系统如图 3.31 所示。空气压缩机 4 供给的空气先经过一组干燥器 3。干燥器内装有氯化钙、碳酸钠、硅胶等各种填料,用于除去空气中的水分和二氧化碳。进入节流器 1

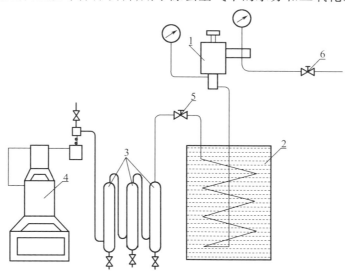

图 3.31　绝热节流实验装置系统

1—节流器;2—恒温器;3—干燥器;4—空气压缩机设备;5—阀门;6—调压阀

的空气温度用恒温器 2 去控制,恒温器内布置 8 m 长的铜管构成的换热器。节流前的空气压力由阀门 5 调节,并由节流器进气管上的压力表指示。节流后的空气压力由阀门 6 调节,并由节流器排气管上的压力表指示。调压阀后的排气管上,还可以装孔板及压差计测量流量,作为实验的参考数据。装置中可以采用节流阀或多孔陶瓷管作为节流件测定积分节流效应。

图 3.32 为节流阀本体的示意图。为了减少散热损失的影响,维持绝热条件,阀座 2 和阀体 3 均用导热性能差的非金属材料制成,金属阀芯 1 伸出的阀杆加木制外套。同时整个阀的进气管与排气管都需要采取保温措施。

图 3.33 为陶瓷管节流器的示意图。节流器浸没在恒温器中。多孔陶瓷管 1(如低温灭菌用的巴斯德过滤器)长约 18 cm。隔环 3 使透过陶瓷管的气流分为两股:隔环后的一股气流不冲刷测温电阻,用以消除外壳法兰导热的影响;隔环前的这股气流受玻璃管 2 导流,全部由玻璃管的一端进入中心区沿轴向流动,冲刷测温电阻。这种构造的节流器,陶瓷管件可以拆卸,改装上用棉絮或细毛毡制成的节流件来测定微分节流效应。

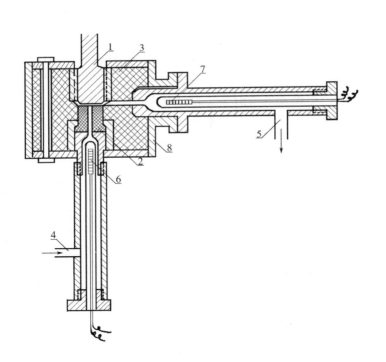

图 3.32　节流阀本体示意图
1—阀芯;2—阀座;3—阀体;4—进气管;
5—排气管;6,7—测温电阻;8—外壳

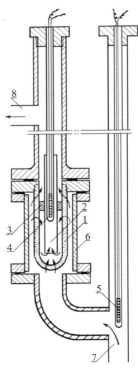

图 3.33　陶瓷管节流器示意图
1—陶瓷管;2—玻璃管;3—隔环;4,5—测温
电阻;6—外壳;7—进气管;8—排气管

3.6.4　实验步骤

实验工作内容为测量节流件两侧空气的压力和温度。压力和温度的测量要求有较高的精度。

1. 微分节流效应

维持节流前的空气压力为某一值,逐次改变节流前空气的温度,每一次都应该在实验工况达到稳定后测量节流件两侧的压力与温度。改变节流前空气的压力值,依上述进行操作与测量。实验中节流件两侧的压力差要维持在 1 bar 左右。

根据实验测定的节流件两侧空气的温度和压力的各组数据,由公式(3 - 50)计算得出微分节流效应 μ 的值。

2. 积分节流效应

维持节流前空气压力与温度不变,逐次改变节流后的空气压力,每一次都应该在实验工况达到稳定后测量节流件两侧的压力与温度。改变节流前空气的温度值(压力不变),例如升高或者降低 10 ~ 20 ℃,再依照上述顺序进行操作与测量。

3.6.5　实验数据记录与处理

(1)在微分节流效应测定时,按以下方式记录与处理数据:

①列表表示微分节流效应与节流前空气压力和温度的关系;

②以 μ 为纵坐标,节流前的空气温度为横坐标,节流前的空气压力作为参变量,画出由实验所得的一组表示 μ 与节流前空气温度与压力关系的曲线。

(2)在积分节流效应测定时,按以下方式记录与处理数据:

用实验测定的节流前后压力与温度的各组数据,在 $t - p$ 图上将节流前温度不变的一组数据拟合为一条等焓线,在等焓线上作不同点的切线,求出空气在不同的状态下的一组微分节流效应 μ 的值。

3.6.6　思考题

(1)试分析所用的实验设备是否维持了绝热条件,有哪些影响因素?

(2)分析理想气体积分节流效应理论上应是多少?并对实验结果进行分析。

3.7 气体定压比热容实验

比热容是指单位物理量的物体温度升高 1 ℃所需的热量,简称比热。根据选用计量物理量的单位不同,有质量比热、容积比热和摩尔比热之分。通常用质量千克作为计量物理量的单位,得到的是质量比热,它的单位是千焦/(千克·开)(kJ/(kg·K))。用符号 c 表示,则

$$c = \frac{\delta q}{dT} \text{ 或 } c = \frac{\delta q}{dt} \quad\quad\quad (3-53)$$

标准状态下 1 m^3 气体温度升高 1 ℃所需的热量称作容积比热,单位是千焦/(米³·开)(kJ/(m^3·K))用符号 C' 表示。

在热工计算中,尤其有化学反应时,用摩尔作为气体的计量单位更为方便。以摩尔作为物量单位时的比热叫摩尔比热,单位是焦/(摩尔·开)(J/(mol·K))。用符号 C_m 表示,称为摩尔比热。

但由热力学原理知,热量是与过程的性质有关的量,即使过程的初、终态相同,如果途径不同,气体吸入或放出的热量也不同。故比热也是与过程特性有关的量,不同的热力过程比热值是不相同的。热动力装置中工质的吸热和放热都是在接近容积不变或压力不变的条件下进行的,热工上从热量计算的角度出发,定容过程和定压过程的比热最有现实意义,分别以 c_v 和 c_p 表示。本节将对定压比热的测定原理及方法设备进行介绍。

气体的定压比热容是计算在定压变化过程中气体吸入(或放出)的热量的一个重要参数,所以气体定压比热容的测定实验是工程热力学基本实验之一。实验中涉及温度、压力、热量(电工)、流量等基本量的测量,计算中用到比热及混合气体(湿空气)方面的基本知识。本实验的目的是增加热物性实验研究方面的感性认识,促进理论联系实际,有利于培养分析问题和解决问题的能力。实验中要求了解气体比热测定装置的基本原理和构思;熟悉本实验中测温、测压、测热、测流量的方法;掌握由基本数据计算出比热值和比热公式的方法;分析本实验产生误差的原因及减小误差的可能途径。

3.7.1 实验目的

(1)了解气体比热测定装置的基本原理和构思;
(2)熟悉本实验中测温、测压、测热、测流量的方法;
(3)掌握由基本数据计算出比热值和比热公式的方法。

3.7.2 实验原理

引用热力学第一定律解析式,对可逆过程有

$$\delta q = du + pdv \quad \text{和} \quad \delta q = dh - vdp \tag{3-54}$$

定压时 $dp = 0$,

$$c_p = \left(\frac{\delta q}{dT}\right)_p = \left(\frac{dh - vdp}{dT}\right)_p = \left(\frac{\partial h}{\partial T}\right)_p \tag{3-55}$$

此式直接由 c_p 的定义导出,故适用于一切工质。

在没有对外界做功的气体的等压流动过程中:

$$dh = \frac{1}{m}dQ_p \tag{3-56}$$

则气体的定压比热容可以表示为

$$c_p \bigg|_{t_1}^{t_2} = \frac{Q_p}{m(t_2 - t_1)} \tag{3-57}$$

式中　m——气体的质量流量,kg/s;

　　　Q_p——气体在等压流动过程中的吸热量,kJ/s。

气体的实际定压比热随温度的升高而增大,它是温度的复杂函数。实验表明,理想气体的比热与温度之间的函数关系甚为复杂,但总可表达为

$$c_p = a + bt + ct^2 + \cdots \tag{3-58}$$

式中 a,b,c 等是与气体性质有关的常数。例如空气的定压比热容的实验关系式:

$$c_p = 1.023\,19 - 1.760\,19 \times 10^{-4}T + 4.024\,02 \times 10^{-7}T^2 - 4.872\,68 \times 10^{-10}T^3$$

式中　T——绝对温度,K。

式(3-58)适用于 250~600 K,平均偏差为 0.03%,最大偏差为 0.28%。

由于比热随温度的升高而增大,所以在给出比热的数值时,必须同时指明是哪个温度下的比热。根据定压比热的定义,气体在 t ℃时的定压比热等于气体自温度 t 升高到 $t + dt$ 时所需热量 δq 除以 dt,即

$$c_p = \frac{\delta q}{dt}$$

当温度间隔 dt 为无限小时,即为某一温度 t 时气体的真实比热。如果已得出 $c = f(t)$ 的函数关系,温度由 t_1 至 t_2 的过程中所需要的热量即可按下式求得

$$q = \int_{t_1}^{t_2} c_p dt = \int_{t_1}^{t_2} (a + bt + ct^2 + \cdots) dt$$

用逐项积分来求热量十分复杂,但在离室温不很远的温度范围内,空气的定压比热容与温度的关系可近似认为是线性的,即可近似表示为

$$c_p = a + bt \tag{3-59}$$

则温度由 t_1 至 t_2 的过程中所需要的热量可表示为

$$q = \int_{t_1}^{t_2} (a + bt) dt \tag{3-60}$$

由 t_1 加热到 t_2 的平均定压比热容则可表示为

$$c_p\Big|_{t_1}^{t_2} = \frac{\int_{t_1}^{t_2}(a+bt)\,\mathrm{d}t}{t_2-t_1} = a + b\frac{t_1+t_2}{2} \tag{3-61}$$

大气是含有水蒸气的湿空气。当湿空气气流由温度 t_1 加热到 t_2 时,其中水蒸气的吸热量可用式(3-60)计算,其中 $a=1.833$,$b=0.000\ 311\ 1$,则水蒸气的吸热量为

$$Q_w = m_w\int_{t_1}^{t_2}(1.833+0.000\ 311\ 1t)\,\mathrm{d}t$$
$$= m_w\big[1.833(t_2-t_1)+0.000\ 155\ 6(t_2^2-t_1^2)\big] \tag{3-62}$$

式中 m_w——气流中水蒸气质量流量,kg/s。

则干空气的平均定压比热容由下式确定:

$$c_{pm}\Big|_{t_1}^{t_2} = \frac{Q_p}{(m-m_w)(t_2-t_1)} = \frac{Q'_p - Q_w}{(m-m_w)(t_2-t_1)} \tag{3-63}$$

式中 Q'_p——湿空气气流的吸热量。

仪器中加热气流的热量(例如用电加热器加热),不可避免地因热辐射而有一部分散失于环境。这项散热量的大小决定于仪器的温度状况。只要加热器的温度状况相同,散热量也相同。因此,在保持气流加热前的温度仍为 t_1 和加热后温度仍为 t_2 的条件下,当采用不同的质量流量和加热量进行重复测定时,每次的散热量应当是一样的。于是,可在测定结果中消除这项散热量的影响。设两次测定时的气体质量流量分别为 m_1 和 m_2,加热器的加热量分别为 Q_1 和 Q_2,辐射散热量为 ΔQ,则达到稳定状况后可以得到如下的热平衡关系:

$$Q_1 = Q_{p1} + Q_{w1} + \Delta Q = (m_1-m_{w1})c_{pm}(t_2-t_1) + Q_{w1} + \Delta Q$$
$$Q_2 = Q_{p2} + Q_{w2} + \Delta Q = (m_2-m_{w2})c_{pm}(t_2-t_1) + Q_{w2} + \Delta Q$$

两式相减消去 ΔQ 项,得到

$$c_{pm}\Big|_{t_1}^{t_2} = \frac{(Q_1-Q_2)-(Q_{w1}-Q_{w2})}{(m_1-m_2-m_{w1}+m_{w2})(t_2-t_1)} \tag{3-64}$$

3.7.3 实验设备及方法

实验所用的设备和仪器仪表由风机、流量计、比热仪本体、电功率调节测量系统四部分组成,实验装置系统如图 3.34 所示。

装置中采用湿式流量计测定气流流量。流量计出口的恒温槽用以控制测定仪器出口气流的温度。利用干湿球温度计测量湿式流量计出口湿空气的干球温度和湿球温度,并计算其相对湿度。装置可以采用小型单级压缩机或其他设备作为气源设备,气流流量用调节阀 1 调整。

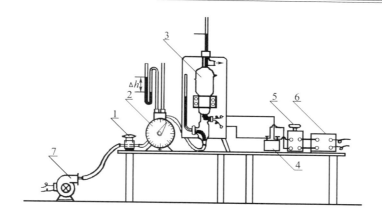

图 3.34　测定空气定压比热容的实验装置系统

1—节流阀;2—流量计;3—比热仪本体;4—瓦特表;5—调压变压器;6—稳压器;7—风机

比热容测定仪本体(图 3.35)由内壁镀银的多层杜瓦瓶 2、进口温度计 1、出口温度计 8(铂电阻温度计或精度较高的水银温度计)、电加热器 3、均流网 4,绝缘垫 5,旋流片 6 和混流网 7 组成。气体自进口管引入,进口温度计 1 测量其初始温度,离开电加热器的气体经均流网 4 均流均温,出口温度计 8 测量加热终了温度,后被引出。该比热仪可测 300 ℃以下气体的定压比热。

测量空气的干、湿球温度的方法很多,有干湿球温度计、毛发湿度计、露点温度计等。毛发湿度计利用脱脂人发在周围空气湿度发生变化时,其本身具有伸缩特性来测量空气的相对湿度。露点温度计用露点测定仪直接测定湿空气的露点,再参照空气的温度,由空气的焓湿图来确定相对湿度。毛发湿度计构造简单,使用方便,但不太稳定,准确度差。露点温度计结构复杂,使用不方便。因此,最常用的还是干湿球温度计。

干湿球温度计利用两只温度计来测定空气的相对湿度 φ。一支温度计的测温端包有

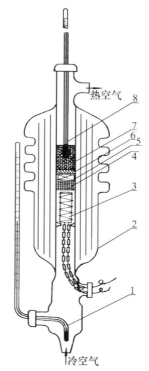

图 3.35　比热容测定仪结构原理图

1—进口温度计;2—多层杜瓦瓶;3—电加热器;4—均流网;
5—绝缘垫;6—旋流片;7—混流网;8—出口温度计

一块湿纱布,纱布的下端浸入盛有蒸馏水的玻璃小杯中,在毛细作用下纱布处于湿润状态,将此温度计称为湿球温度计。使用时,在热湿交换达到平衡,即稳定的情况下,所测得的读数称为空气的湿球温度,用 t_w 表示;另一支未包纱布的温度计相应地称作干球温度计,它所测得的温度称为空气的干球温度,也就是实际的空气温度,用 t 表示。测定时将干、湿球温度计置于通风处,使空气不断地流过,干球温度计上的读数即为湿空气的实际温度 t,湿球温度计因与湿布直接接触,其读数为湿球温度 t_w。

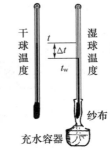

图 3.36 普通干湿球温度计

湿球温度计的读数,实际上反映了湿纱布上水的温度。但是,值得注意的是,并不是任意读数都可以认为是湿球温度,只有在热湿交换达到平衡,即稳定条件下的读数才称为湿球温度。

图 3.36 为普通干湿球温度计,它易受室内气流速度的影响,测量精度较低。

实验中需要计算干空气的质量流量 m、水蒸气的质量流量 m_w、电加热器的加热量(即气流吸热量)Q_p' 和气流温度等数据,计算方法如下:

1. 干空气的质量流量 m 和水蒸气的质量流量 m_w

根据 t_0 与 φ 值由湿空气的焓 – 湿图确定含湿量 g/kg,并计算出水蒸气的容积成分 y_w

$$y_w = \frac{d/622}{1 + d/622} \qquad (3-65)$$

于是,气流中水蒸气的分压力为

$$p_w = y_w p \qquad (3-66)$$

式中　　p——流量计中湿空气的绝对压力,Pa,

$$p = (10p_b + 9.81\Delta h) \times 10^3 \qquad (3-67)$$

式中　　p_b——当地大气压(由数字式压力计读出),kPa;

　　　　Δh——流量计上压力表(U 型管)读数,mmH$_2$O。

水蒸气的质量流量计算如下:

$$m_w = \frac{p_w(V/\tau)}{R_w T_0} \qquad (3-68)$$

式中　　R_w——水蒸气的气体常数,J/(kg·K)

$$R_w = 461 \qquad (3-69)$$

　　　　T_0——绝对温度,K。

干空气的质量流量计算如下:

$$m_g = \frac{p_g(V/\tau)}{R_g T_0} \qquad (3-70)$$

式中　R_g——干空气的气体常数，J/(kg·K)

$$R_g = 287 \tag{3-71}$$

2. 电加热器的加热量 Q'_p

电热器消耗功率可由瓦特表读出，加热量 Q'_p 由式(3-72)计算：

$$Q'_p = 3.6Q_p(\text{kJ}) \tag{3-72}$$

式中　Q_p——瓦特表读数，W。

3.7.4　实验步骤与数据记录

（1）接通电源及测量仪表，选择所需的出口温度计插入混流网的凹槽中。

（2）取下流量计上的温度计，开动风机，调节节流阀，使流量保持在额定值附近。电加热器不投入，摘下流量计出口与恒温槽连接的橡皮管，把气流流量调节到实验流量值附近，测定流量计出口的气流温度 t'_0（由流量计上的温度计测量）和湿球温度 t_w。

（3）将温度计插回流量计，重新调节流量，使它保持在额定值附近，逐渐提高电压，使出口温度计读数升高到预计温度。（可根据下式预先估计所需电功率：$w = 12\dfrac{\Delta t}{\tau}$，式中 w 为电功率（W），Δt 为进出口温差（℃），τ 为每流过 10 L 空气所需的时间（s））。

（4）待出口温度稳定后（出口温度在 10 min 之内无变化或有微小起伏即可视为稳定），读出下列数据并填入原始数据表中：

①10 L 气体通过流量计所需时间 τ，s；

②比热仪进口温度 t_1，℃；出口温度 t_2，℃；

③大气压力计读数 p_b，kPa；流量计中气体表压 Δh，mmH$_2$O；

④电热器的功率 Q_p，W。

（5）根据流量计出口空气的干球温度 t_0 和湿球温度 t_w 确定空气的相对湿度 φ，根据 φ 和干球温度从湿空气的焓-湿图（工程热力学附图）中查出含湿量 d（g/kg$_{干空气}$）。

（6）每小时通过实验装置空气流量

$$V = 36/\tau \tag{3-73}$$

式中　τ——每 10 L 空气流过所需时间，s。

将各量代入式(3-70)可以得出干空气质量流量的计算式：

$$m_g = \frac{(1 - y_w)(1\,000 B_1 + 9.81\Delta h) \times (36/\tau)}{287(t_0 + 273.15)} \tag{3-74}$$

（7）水蒸气的流量

将各量代入式(3-68)可以得出水蒸气质量流量的计算式：

$$m_w = \frac{y_w(1\ 000\ B_1 + 9.81\Delta h) \times (36/\tau)}{461.5(t_0 + 273.15)} \tag{3 - 75}$$

（8）原始数据记录表，见表 3.9。

表 3.9　原始数据记录表

干球温度 $t_0/℃$	湿球温度 $t_w/℃$	$\Delta t/℃$	相对湿度 /%	τ s/10 L	Δh /mmH$_2$O	B_0 /kPa

加热功率 Q_p/W		含湿量 $d/(g/kg_{干空气})$		入口温度 $t_1/℃$	出口温度 $t_2/℃$	

3.7.5　计算实例

某一稳定工况实测参数如下：

$t_0 = 8\ ℃$，$t_w = 7.8\ ℃$，$t_f = 8\ ℃$，$B_t = 99.727\ kPa$，$t_1 = 8\ ℃$，$t_2 = 240.3\ ℃$，$\tau = 69.96\ s/10L$，$\Delta h = 16\ mmH_2O$，$Q_p = 41.842\ W$，由 t_0，t_w 查焓 – 湿图得 $\varphi = 94\%$，$d = 6.3\ g/kg_{干空气}$。

计算：（1）水蒸气的容积成分

$$y_w = \frac{6.3/622}{1 + 6.3/622} = 0.010\ 027$$

（2）电加热器单位时间放出的热量

$$Q'_p = 3.6 \times Q_p = 3.6 \times 41.842 = 150.632 \quad kJ/h$$

（3）干空气质量流量

$$m_g = \frac{(1 - 0.010\ 027) \times (1\ 000 \times 99.727 + 9.81 \times 16) \times 36/69.96}{287(8 + 273.15)}$$

$$= 0.630\ 48 \quad kg/h$$

（4）水蒸气质量流量

$$m_w = \frac{0.010\ 027(1\ 000 \times 99.727 + 9.81) \times 36/69.96}{461.5(8 + 273.15)}$$

$$= 0.003\ 975\ 5 \quad kg/h$$

（5）水蒸气吸收的热量为

$$Q_w = 0.003\ 975\ 5[1.833(240.3 - 8) + 1.556 \times 10^{-4}(240.3^2 - 8^2)] = 1.728 \quad kJ/h$$

则干空气的平均定压比热容为

$$c_{pm}\Big|_8^{240.3} = \frac{150.632 - 1.728}{0.630\ 48(240.3 - 8)} = 1.016\ 7 \quad kJ/h$$

3.7.6　实验注意事项

（1）电热器不应在无气流通过情况下投入工作，以免引起局部过热而损害比热仪本体。

（2）输入电热器电压不得超过 220 V，气体出口温度最高不得超过 300 ℃。

（3）加热和冷却要缓慢进行，防止温度计比热仪本体因温度骤然变化和受热不均匀而破裂。

（4）停止实验时，应先切断电热器电源，让风机继续运行 15 min 左右（温度较低时，时间可适当缩短）。

（5）实验测定时，必须确信气流和测定仪的温度状况稳定后才能读数。

（6）使用干湿球温度计时要注意以下几点：

①温度计应提前放置到测量地点。一般夏季要提前 15 min，冬季要提前 30 min，以消除由于仪器本身温度与测量现场温度不同而引起的测量误差，充分达到热湿平衡。

②包裹湿球温度计的纱布要力求松软、清洁，并且吸水性良好。湿润纱布时不要让水流入仪器的其他部分，并应经常保持纱布湿润。

（7）进行数据整理及计算，注意量纲的统一。

3.7.7　空气定压比热随温度变化规律实验研究（选做）

1. 实验目的

（1）测定不同平均温度下空气定压比热容；

（2）建立空气定压比热容与温度的关系式；

（3）增加热物性实验研究方面的感性认识。

2. 实验原理

比热随温度变化关系：

假定在 0 ~ 300 ℃ 之间，空气真实定压比热与温度之间近似地有线性关系：

$$c_p = a + bt \qquad\qquad (3-76)$$

则由 t_1 到 t_2 的平均定压比热为

$$c_p \bigg|_{t_1}^{t_2} = \frac{\int_{t_1}^{t_2} (a + bt)\,\mathrm{d}t}{t_2 - t_1} = a + b\frac{t_1 + t_2}{2}\ (\mathrm{kJ/(kg \cdot K)})$$

若以$(t_1+t_2)/2$为横坐标，$c_{pm}\Big|_{t_1}^{t_2}$为纵坐标(图3.37)，则可根据不同温度范围的平均比热确定截距a和斜率b，从而得出比热随温度变化的计算式$a+bt$。

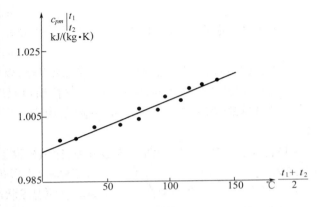

图3.37　比热随温度变化关系

3.实验步骤

(1)确定一空气流量，适当调大，确定一较小的加热功率，测定空气比热容。

(2)改变工况，改变加热量或改变流量，待出口温度稳定后，记录相关数据，共测5组数据。

(3)根据测得数据，作出平均比热与温度之间的关系曲线，并拟合出关系式。

(4)注意事项：试验过程中注意出口温度计读数，不要超过温度计量程，当温度接近温度计量程时，更换温度计。

4.实验数据记录与处理

由参加实验的同学自行设计完成。

3.8　燃料发热量的测定

燃料发热量是燃料的特性指标，表征了燃料品质的高低，只有掌握了燃料的发热值，才能对热力设备的燃料消耗量、热效率及燃烧工况作出计算与分析。燃料发热量的测量可以确定燃料在锅炉等热力设备完全燃烧时所放出的热量，它是确定锅炉、内燃机等热力设备的热性能时不可缺少的重要参量。燃料的发热量的表示方法有高位发热量与低位发热量两种。在这个实验中要了解燃料发热量的测定原理，掌握正确使用氧弹热量计测定固体燃料或液体燃料发热量的方法，这一实验对于培养学生周密地分析与考虑热工实验中的热量平衡问题，以及如何精确计量具有重要意义。

3.8.1　实验目的

(1)了解燃料发热量的表示方法及其区别；
(2)掌握正确使用氧弹热量计测定固体燃料或液体燃料发热量的方法；
(3)实验测量并计算得到实验燃料的发热量。

3.8.2　实验原理

　　燃料的发热值通常都是用实验的方法测定的,气体燃料的发热值采用流水型热量计测得,而固体燃料发热量的测定一般都是在氧弹热量计中进行的。其工作原理是把一定量的燃料样品放入充满氧气的氧弹中,而氧弹又浸没在盛满水的容器中,借助于水温的升高数值测定,即可确定燃料样品燃烧后放出的热量。

　　氧弹热量计的结构如图3.38所示。氧弹热量计的主体为氧弹,是用耐腐蚀合金材料制成的气密容器。它的性能应使燃料在燃烧过程中保持稳定,应满足下述要求:

　　(1)不受高温腐蚀性产物的影响而产生放热或吸热的热效应;

　　(2)能经受燃烧瞬间产生的高压;

　　(3)良好的气密性。

　　双壁水套的内壁应高度抛光,以减少辐射作用,水套的容水量大,可以减少与周围环境的热交换。搅拌器的作用是使燃料的放热在量热系统中均匀分布。贝克曼温度计是一种可以改变测温范围的精密温度计(最小分度为0.01 ℃)。

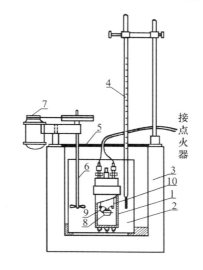

图 3.38　氧弹热量计

1—容器;2—双壁水套;
3—绝缘外垫;4—贝克曼温度计;5—顶盖;
6—桨式搅拌器;7—温度计照明装置;
8—坩埚;9—氧弹;10—导电极

　　实验所需的仪器仪表有氧弹热量计、感量为0.1 mg的精密分析天平、分度为0.01 ℃的精密温度计(或贝克曼温度计)、放大镜、万用电表、秒表、高压氧气、蒸馏水、量筒(2 000 mL及10 mL各一个)、点火熔丝、小尺子、试样杯及燃料试样等。

3.8.3　实验步骤及数据记录

1. 准备工作

　　首先,把精确(用读数精确到0.1 mg的精密分析天平)称取的1 g左右燃料试样(固体燃料0.8~1.5 g,液体燃料0.6~0.8 g为宜),放在试样杯中,并将其放置在试样杯托上(注意试样杯要夹紧,不可松动)。再量取 10 cm 长的点火熔丝,并将它的两端紧系在氧弹的两只导电极的熔丝挂孔(或钩)上。令其中部下弯,而与试样杯中的燃料试样接触(当采用金属试样杯时,应特别注意切不可让点火熔丝和杯子的边缘或杯底接触)。

然后向氧弹中注入 10 mL 蒸馏水,盖好并旋紧氧弹盖子,再充氧气至 20 ~ 30 bar(注意充氧时要缓慢,为了确保安全,充氧工具及压力表等切忌有油污)。用万用电表检查点火电路。

将氧弹放入热量计的水容器里,其位置应不妨碍搅拌器工作,再接好点火电路引线。用量筒向水容器注入 2 000 mL 或 3 000 mL 蒸馏水,水温应该比室温低 1.0 ~ 1.5 ℃ 为宜。用万用电表再次检查点火电路,然后放上热量计的上盖,并小心地装好精密温度计,使其温包约位于氧弹热量计中水深的中部。

2. 进行实验

接上电源,开始正式实验。为了达到足够的精度和读取到必要的数据,把实验分为四个阶段进行。其过程见图 3.39。

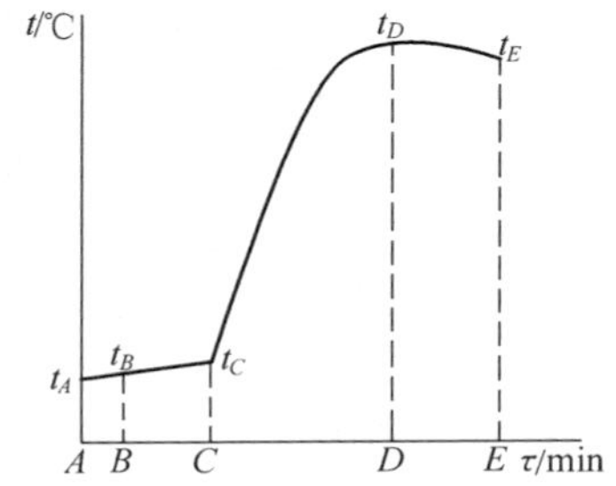

(1)准备阶段 AB

开动搅拌器搅拌 120 s,这样做主要是为了使水容器内的温度更均匀。由于从外界环境吸热及搅拌作用的关系,水温可能略有上升(如初始水温高于室温,则水温会下降)。

图 3.39　氧弹测热计温度变化曲线

(2)初阶段 BC

准备阶段完毕后,从 B 点开始记录水温。本阶段为 300 s,每间隔 60 s 记录一次温度(用放大镜可以精确读到 0.001 ℃)。同准备阶段的现象一样,本阶段中水温可能上升或下降。根据这一阶段的水温变化情况,可以找到实验前热量计与外界环境间热交换的规律,并可以以此校正此项误差。

(3)主阶段 CD

初阶段完毕后,在图中 C 点对应的时刻立即点火(按热量计点火器按键)。此后每隔 30 s 记录一次水温。开始时水温升高很快,以后温度的变化率逐渐减小。水的温度不再变化时即为主阶段终了。由主阶段可以找到水温的升高值及变化规律。

(4)末阶段 DE

主阶段结束即为末阶段的开始(通常水温开始下降)。这一阶段一般进行检查 300 s,每隔 60 s 记录一次水温,这是为了找出实验后热量计与外界环境的热交换规律,并加以校正。

3. 实验完毕后的整理工作

实验完毕后,首先小心地取下精密温度计,将其擦干并放回原处。再打开热量计的盖,取出氧弹。先通过氧弹盖子上的放气阀缓慢地放出氧弹中的气体,然后打开氧弹的盖子,并注意观察试样燃烧情况(如发现氧弹内有黑烟或未燃尽的试样微粒,则需要重新做这个实验)。然后,小心地取下未燃烧完的点火熔丝,把它伸直并测量剩余的长度,记录下来。最后倒掉水容器内的水,并擦净仪器与仪表。

4. 实验数据记录

实验过程中,数据的记录可以参考表 3.10 的形式。

表 3.10　燃料发热量测定的实验记录

热量计型号:＿＿＿＿＿＿＿

次数	温　度	备　注	次数	温　度	备　注
1			18		
2			19		
3			20		
4			21		
5			22		
6			23		
7			24		
8			25		
9			26		
10			27		
11			28		
12			29		
13			30		
14			31		
15			32		
16			33		
17			34		

表 3. 10(续)

热量计型号：_____

次数	温 度	备 注	次数	温 度	备 注
燃料品种			修正系数 d		
燃料试样重/mg			热量计水当量 kJ/℃		
放入熔丝长度/cm			室温/℃		
剩余熔丝长度/cm			试样的 S^a，%		
燃去熔丝长度/cm			试样的 H^a，%		
熔丝发热量/(J/g)			试样的 W^a，%		

3.8.4 实验数据处理

1. 弹筒发热量的计算

测得的弹筒发热量可用下式计算：

$$Q_{dt}^f = \frac{K[(T+h)-(T_0+h_0)+\Delta t]-\sum gb}{G} \tag{3-77}$$

式中 K——热量计的水当量，kJ/℃；

T——实验主阶段的最终温度，℃；

h——T 温度时，温度计刻度的校正值，℃；

T_0——实验主阶段的初始温度，℃；

h_0——T_0 温度时，温度计刻度的校正值，℃；

Δt——热量计热交换的温度校正值，℃；

g——点火熔丝的燃烧热，kJ/kg；

b——已燃烧的金属丝质量，kg；

G——燃料试样的质量，kg。

通常，点火熔丝的燃烧热按产品说明书给定值取用，但当采用以下几种材质的点火熔丝时，其燃烧热可以按照下述数值取用：

铁丝　　　　　　6699 J/g

铜丝　　　　　　2512 J/g

镍丝　　　　　　3245 J/g

上述点火熔丝的单位质量的长度(cm/g)可用天平称取后按平均值确定。

热交换影响的精确测定是极其复杂的,一般用经验公式来计算 Δt 的数值,常用的经验公式为布捷公式:

$$\Delta t = \frac{t_1 + t_2}{2}m + t_2 r \tag{3-78}$$

式中 t_1——初阶段每逢 10 s 的温度变化的平均值,

$$t_1 = \frac{t_B - t_C}{10} \tag{3-79}$$

式中 t_B, t_C 见图 3.39 所示,当室温高于水温时为负值,反之为正值;

t_2——末阶段中每逢 30 s 的温度变化平均值,

$$t_2 = \frac{t_D - t_E}{10} \tag{3-80}$$

式中 t_D, t_E 见图 3.39 所示;

m——主阶段中,每隔 30 s 内温度升高大于 0.3 ℃的次数;包括开始点火后 30 秒钟温度升高可能小于 0.3 ℃的那一次在内;

r——主阶段中,每隔 30 s 内温度升高小于 0.3 ℃的次数。

2. 高位发热值

燃料分析基的高位发热值计算公式为:

$$Q_{gw}^f = Q_{dt}^f - (94.2 S_{dt}^f - a Q_{dt}^f) \tag{3-81}$$

式中 Q_{gw}^f——燃料分析基的高位发热值,kJ/kg;

Q_{dt}^f——热量计测出的燃料试样发热值,kJ/kg;

S_{dt}^f——由氧弹燃烧法测定的分析基含硫量,%;

94.2——每 1% 生成的 H_2SO_4 溶于水所放出的热量;

a——由氮生成的硝酸溶于水所放出热量的系数,对于贫煤、无烟煤,$a = 0.001$,对于其他煤种,$a = 0.0015$。

3. 低位发热值

燃料分析基的低位发热值计算公式为

$$Q_{dw}^f = Q_{gw}^f - 25(9H^f + W^f) \tag{3-82}$$

式中 H^f, W^f——燃料分析基氢与水分的含量。

3.8.5 实验注意事项

用氧弹热量计测燃料的发热量虽然很简单,但是由于条件的限制,必须考虑一些影响因素才能得到具有实用价值的燃料低位发热值。

（1）试样燃烧所放出的热量不仅能加热热量计中的水，而且也能加热热量计本身。因此实验时必须考虑热量计本身吸热的水当量。

（2）实验时，热量计中的水，除了获得因试样燃烧而产生的热量外，还会由于水和外界发生热量交换。因此，在计算时必须对热交换时损失的热量进行校正。

（3）实验时，点燃试样用的点火熔丝会燃去一部分，熔丝燃烧所放出的热量应在计算时减去。

（4）实验时，氧弹内充有高压氧气，试样的燃烧情况与在一般热力设备中不同。这时氧弹中的氮气（包括空气和燃料所含的氮）可以生成硝酸，燃料中所含的挥发硫可生成硫酸。这些酸生成时会放出反应热，在计算时须加以校正。

（5）燃料燃烧产物中的水蒸气在氧弹中会凝结成水，放出汽化潜热。此热量在实际热力设备中不能应用，在计算时应该予以扣除。

（6）实验应该在不受阳光照射的一个独立房间内进行，最好选择北面的房间，且带有双层玻璃以及严密的门。室内不许安装加热设备，并尽可能减少室内气体的流动，减少室温的波动。

3.8.6 思考题

（1）向氧弹内充氧的速度为何要缓慢？

（2）使用贝克曼温度计有什么优点，它能否测出温度的绝对值？

（3）使用金属试样杯时，为什么点火熔丝不能与试样杯直接接触？

附录1 国际基本单位

量的名称	单位名称	代号	定　　义	量的符号
长度	米	m	米等于氪 –86 原子的 2p10 和 5d5 能级之间跃迁时所对应的辐射,在真空中的 1 650 763.67 个波长的长度	L
质量	千克	kg	1 千克等于国际千克原器的质量	M
时间	秒	s	秒是铯 –133 原子基态的两个超精细能级之间跃迁所对应的辐射的 9 192 631 770 个周期的持续时间	t
电流	安培	A	安培是一恒定电流,若保持在处于真空中相距一米的两根无限长而圆截面可忽略的平行直导线内,每米长度上的力等于 2×10^{-7} 牛顿	I
热力学温度	开尔文	K	热力学温度单位开尔文是水三相点热力学温度的 1/273.16	T
物质的量	摩尔	mol	摩尔是一系统的物质的量,该系统中所包含的基本单元数与 0.012 千克碳 –12 的原子数目相等	N
发光强度	坎得拉	cd	对于频率为 540×10^{12} 赫兹的单色辐射,在给定方向上的辐射强度为 1/683 瓦特每球面度	J

附录2　热力学常用单位

量的名称	常用单位	量的符号
压力	MPa	p
比体积	m^3/kg	v
摄氏温度	℃	t
比热容	$J/(kg \cdot K)$	c
焓	kJ/kg	h
热力学能	kJ/kg	u
熵	$kJ/(kg \cdot K)$	s
热量	kJ/kg	q
功量	kJ/kg	w

附录3 饱和水蒸气压力表（按压力排列）

压力 p	饱和温度 t_s	比容		焓		汽化潜热 r
		饱和水 ν'	饱和蒸汽 ν''	饱和水 h'	饱和蒸汽 h''	
MPa	℃	m^3/kg	m^3/kg	kJ/kg	kJ/kg	kJ/kg
0.001 0	6.982	0.001 000 1	129.208	29.33	2 513.8	2 484.5
0.002 0	17.511	0.001 001 2	67.006	73.45	2 533.2	2 459.8
0.003 0	24.098	0.001 002 7	45.668	101.00	2 545.2	2 444.2
0.004 0	28.981	0.001 004 0	34.803	121.41	2 554.1	2 432.7
0.005 0	32.90	0.001 005 2	28.196	137.77	2 561.2	2 423.4
0.006 0	36.18	0.001 006 4	23.742	151.50	2 567.1	2 415.6
0.007 0	39.02	0.001 007 4	20.532	163.38	2 572.2	2 408.8
0.008 0	41.53	0.001 008 4	18.106	173.87	2 576.7	2 402.8
0.009 0	43.79	0.001 009 4	16.206	183.28	2 580.8	2 397.5
0.010 0	45.83	0.001 010 2	14.676	191.84	2 584.4	2 392.6
0.015 0	54.00	0.001 014 0	10.025	225.98	2 598.9	2 372.9
0.020	60.09	0.001 017 2	7.651 5	251.46	2 609.6	2 358.1
0.025	64.99	0.001 019 9	6.206 0	271.99	2 618.1	2 346.1
0.030	69.12	0.001 022 3	5.230 8	289.31	2 625.3	2 336.0
0.040	75.89	0.001 026 5	3.994 9	317.65	2 636.8	2 319.2
0.050	81.35	0.001 030 1	3.241 5	340.57	2 646.0	2 305.4
0.060	85.95	0.001 033 3	2.732 9	289.93	2 653.6	2 293.7
0.070	89.96	0.001 036 1	2.365 8	376.77	2 660.2	2 283.4
0.080	93.51	0.001 038 7	2.087 9	391.72	2 666.0	2 274.3
0.090	96.71	0.001 041 2	1.870 1	405.21	2 671.1	2 265.9
0.100	99.63	0.001 043 4	1.694 6	417.51	2 675.7	2 258.2
0.12	104.81	0.001 047 6	1.428 9	439.36	2 683.8	2 244.4
0.14	109.32	0.001 051 3	1.237 0	458.42	2 690.8	2 232.4

续表

压力 p	饱和温度 t_s	比容		焓		汽化潜热 r
		饱和水 v'	饱和蒸汽 v''	饱和水 h'	饱和蒸汽 h''	
MPa	℃	m³/kg	m³/kg	kJ/kg	kJ/kg	kJ/kg
0.16	113.32	0.001 054 7	1.091 7	475.38	2 696.8	2 221.4
0.18	116.93	0.001 057 9	0.977 75	490.70	2 702.1	2 211.4
0.20	120.23	0.001 060 8	0.885 92	504.7	2 706.9	2 202.2
0.25	127.43	0.001 067 5	0.718 81	535.4	2 717.2	2 181.8
0.30	133.54	0.001 073 5	0.605 86	561.4	2 725.5	2 164.1
0.35	138.88	0.001 078 9	0.524 25	584.3	2 732.5	2 148.2
0.40	143.62	0.001 083 9	0.462 42	604.7	2 738.5	2 133.8
0.45	147.92	0.001 088 5	0.413 92	623.2	2 743.8	2 120.6
0.50	151.85	0.001 092 8	0.374 81	640.1	2 748.5	2 108.4
0.60	158.84	0.001 100 9	0.315 56	670.4	2 756.4	2 086.0
0.70	164.96	0.001 108 2	0.272 74	697.1	2 762.9	2 065.8
0.80	170.42	0.001 115 0	0.240 30	720.9	2 768.4	2 047.5
0.90	175.36	0.001 121 3	0.214 84	742.6	2 773.0	2 030.4
1.0	179.88	0.001 127 4	0.194 30	762.6	2 777.0	2 014.4
1.1	184.06	0.001 133 1	0.077 39	781.1	2 780.4	1 999.3
1.2	187.96	0.001 138 6	0.163 20	798.4	2 783.4	1 985.0
1.3	191.60	0.001 143 8	0.151 12	814.7	2 786.0	1 971.3
1.4	195.04	0.001 148 9	0.140 72	860.1	2 788.4	1 958.3
1.5	198.28	0.001 153 8	0.131 65	844.7	2 790.4	1 945.7
1.6	201.37	0.001 158 6	0.123 68	858.6	2 792.2	1 933.6
1.7	204.30	0.001 163 3	0.116 61	871.8	2 793.8	1 922.0
1.8	207.1	0.001 167 8	0.110 31	884.6	2 795.1	1 910.5
1.9	209.79	0.001 172 2	0.104 64	896.8	2 796.4	1 899.6
2.0	212.37	0.001 176 6	0.099 53	908.6	2 797.4	1 888.8

附录4 铜-康铜热电偶分度特性表

测量端温度/℃	0	1	2	3	4	5	6	7	8	9
	热 电 势/mV									
−90	−3.089	−3.118	−3.147	−3.177	−3.206	−3.235	−3.264	−3.293	−3.321	−3.350
−80	−2.788	−2.818	−2.849	−2.879	−2.909	−2.939	−2.970	−2.999	−3.029	−3.059
−70	−2.475	−2.507	−2.539	−2.570	−2.602	−2.633	−2.664	−2.695	−2.726	−2.757
−60	−2.152	−2.185	−2.218	−2.250	−2.283	−2.315	−2.348	−2.380	−2.412	−2.444
−50	−1.819	−1.853	−1.886	−1.920	−1.953	−1.987	−2.020	−2.053	−2.087	−2.120
−40	−1.475	−1.510	−1.544	−1.579	−1.614	−1.648	−1.682	−1.717	−1.751	−1.785
−30	−1.121	−1.157	−1.192	−1.228	−1.263	−1.299	−1.334	−1.370	−1.405	−1.440
−20	−0.757	−0.794	−0.830	−0.867	−0.903	−0.940	−0.976	−1.013	−1.049	−1.085
−10	−0.383	−0.421	−0.458	−0.496	−0.534	−0.571	−0.608	−0.646	−0.6983	−0.720
−0	−0.000	−0.039	−0.077	−0.116	−0.154	−0.193	−0.231	−0.269	−0.307	−0.345
0	0.000	0.039	0.078	0.117	0.156	0.195	0.234	0.273	0.312	0.351
10	0.391	0.430	0.470	0.510	0.549	0.589	0.629	0.669	0.709	0.749
20	0.789	0.830	0.870	0.911	0.951	0.992	1.032	1.073	1.114	1.155
30	1.196	1.237	1.279	1.320	1.361	1.403	1.444	1.486	1.528	1.569
40	1.611	1.653	1.695	1.738	1.780	1.822	1.865	1.907	1.950	1.992
50	2.035	2.078	2.121	2.164	2.207	2.250	2.294	2.337	2.380	2.424
60	2.467	2.511	2.555	2.599	2.643	2.687	2.731	2.775	2.819	2.864
70	2.908	2.953	2.997	3.042	3.087	3.131	3.176	3.221	3.266	3.312
80	3.357	3.402	3.447	3.493	3.538	3.584	3.630	3.676	3.721	3.767
90	3.813	3.859	3.906	3.952	3.998	4.044	4.091	4.137	4.184	4.231
100	4.277	4.324	4.371	4.418	4.465	4.512	4.559	4.607	4.654	4.701
110	4.749	4.796	4.844	4.891	4.939	4.987	5.035	5.083	5.131	5.179
120	5.227	5.275	5.324	5.372	5.420	5.469	5.517	5.566	5.615	5.663
130	5.712	5.761	5.810	5.859	5.908	5.957	6.007	6.056	6.105	6.155
140	6.204	6.254	6.303	6.353	6.403	6.452	6.502	6.552	6.602	6.652
150	6.702	6.753	6.803	6.853	6.903	6.954	7.004	7.055	7.106	7.156
160	7.207	7.258	7.309	7.360	7.411	7.462	7.513	7.564	7.615	7.666
170	7.718	7.769	7.821	7.872	7.924	7.975	8.027	8.079	8.131	8.183
180	8.235	8.287	8.339	8.391	8.443	8.495	8.548	8.600	8.652	8.705
190	8.757	8.810	8.863	8.915	8.968	9.021	9.074	9.127	9.180	9.233

续表

测量端温度 /℃	0	1	2	3	4	5	6	7	8	9
	热 电 势/mV									
200	9. 286	9. 339	9. 392	9. 446	9. 499	9. 553	9. 606	9. 659	9. 713	9. 767
210	9. 820	9. 874	9. 928	9. 982	10. 036	10. 090	10. 144	10. 198	10. 252	10. 306
220	10. 360	10. 414	10. 469	10. 523	10. 578	10. 632	10. 687	10. 741	10. 796	10. 851
230	10. 905	10. 960	11. 015	11. 070	11. 125	11. 180	11. 235	11. 290	11. 345	11. 401
240	11. 456	11. 511	11. 566	11. 622	11. 677	11. 733	11. 788	11. 844	11. 900	11. 956
250	12. 011	12. 067	12. 123	12. 179	12. 235	12. 291	12. 347	12. 403	12. 459	12. 515
260	12. 572	12. 628	12. 684	12. 741	12. 797	12. 854	12. 910	12. 967	13. 024	13. 080
270	13. 137	13. 194	13. 251	13. 307	13. 364	13. 421	13. 478	13. 535	13. 592	13. 650

附录5 镍铬－考铜热电偶分度特性表

工作端温度 /℃	0	1	2	3	4	5	6	7	8	9
	热电势/mV									
－ 50	－ 3. 11									
－ 40	－ 2. 50	－ 2. 56	－ 2. 62	－ 2. 68	－ 2. 74	－ 2. 81	－ 2. 87	－ 2. 93	－ 2. 99	－ 3. 05
－ 30	－ 1. 89	－ 1. 95	－ 2. 01	－ 2. 07	－ 2. 13	－ 2. 20	－ 2. 26	－ 2. 32	－ 2. 38	－ 2. 44
－ 20	－ 1. 27	－ 1. 33	－ 1. 39	－ 1. 46	－ 1. 52	－ 1. 58	－ 1. 64	－ 1. 70	－ 1. 77	－ 1. 83
－ 10	－ 0. 64	－ 0. 70	－ 0. 77	－ 0. 83	－ 0. 89	－ 0. 96	－ 1. 02	－ 1. 08	－ 1. 14	－ 1. 21
－ 0	－ 0. 00	－ 0. 06	－ 0. 13	－ 0. 19	－ 0. 26	－ 0. 32	－ 0. 38	－ 1. 45	－ 0. 51	－ 0. 58
+ 0	0. 00	0. 07	0. 13	0. 20	0. 26	0. 33	0. 39	0. 46	0. 52	0. 59
10	0. 65	0. 72	0. 78	0. 85	0. 91	0. 98	1. 05	1. 11	1. 18	1. 24
20	1. 31	1. 38	1. 44	1. 51	1. 57	1. 64	1. 70	1. 77	1. 84	1. 91
30	1. 98	2. 05	2. 12	2. 18	2. 25	2. 32	2. 38	2. 45	2. 52	2. 59
40	2. 66	2. 73	2. 80	2. 87	2. 94	3. 00	3. 07	3. 14	3. 21	3. 28
50	3. 35	3. 42	3. 49	3. 56	3. 63	3. 70	3. 77	3. 84	3. 91	3. 98
60	4. 05	4. 12	4. 19	4. 26	4. 33	4. 41	4. 48	4. 55	4. 64	4. 69
70	4. 76	4. 83	4. 90	4. 98	5. 05	5. 12	5. 20	5. 27	5. 34	5. 41
80	5. 48	5. 56	5. 63	5. 70	5. 78	5. 85	5. 92	5. 99	6. 07	6. 14
90	6. 21	6. 29	6. 36	6. 43	6. 51	6. 58	6. 65	6. 73	6. 80	6. 87
100	6. 95	7. 03	7. 10	7. 17	7. 25	7. 32	7. 40	7. 47	7. 54	7. 62
110	7. 69	7. 77	7. 84	7. 91	7. 99	8. 06	8. 13	8. 21	8. 28	8. 35
120	8. 43	8. 50	8. 53	8. 65	8. 73	8. 80	8. 88	8. 95	9. 03	9. 10
130	9. 18	9. 25	9. 33	9. 40	9. 48	9. 55	9. 63	9. 70	9. 78	9. 85
140	9. 93	10. 00	10. 08	10. 16	10. 23	10. 31	10. 38	10. 46	10. 54	10. 61
150	10. 69	10. 77	10. 85	10. 92	11. 00	11. 08	11. 15	11. 23	11. 31	11. 38
160	11. 46	11. 54	11. 62	11. 69	11. 77	11. 85	11. 93	12. 00	12. 08	12. 16
170	12. 24	12. 32	12. 40	12. 48	12. 55	12. 63	12. 71	12. 79	12. 87	12. 95
180	13. 03	13. 11	13. 19	13. 27	13. 36	13. 44	13. 52	13. 60	13. 68	13. 76
190	13. 84	13. 92	14. 00	14. 08	14. 16	14. 25	14. 34	14. 42	14. 50	14. 58

续表

工作端温度 /℃	0	1	2	3	4	5	6	7	8	9
	热电势/mV									
200	14.66	14.74	14.82	14.90	14.98	15.06	15.14	15.22	15.30	15.38
210	15.48	15.56	15.64	15.72	15.80	15.89	15.97	16.05	16.13	16.21
220	16.30	16.38	16.46	16.54	16.62	16.71	16.79	16.86	16.95	17.03
230	17.12	17.20	17.28	17.37	17.45	17.53	17.62	17.70	17.78	17.87
240	17.95	18.03	18.11	18.19	18.28	18.36	18.44	18.52	18.60	18.68
250	18.76	18.84	18.92	19.01	19.09	19.17	19.26	19.34	19.42	19.51
260	19.59	19.67	19.75	19.84	19.92	20.00	20.09	20.17	20.25	20.34
270	20.42	20.50	20.58	20.66	20.74	20.83	20.91	20.99	21.07	21.15
280	21.24	21.32	21.40	21.49	21.57	21.65	21.73	21.82	21.90	21.98
290	22.07	22.15	22.23	22.32	22.40	22.48	22.57	22.65	22.73	22.81

附录6 镍铬－铜镍(鎌铜)热电偶分度表

工作端温度 /℃	0	1	2	3	4	5	6	7	8	9
	热电势/μV									
0	0	59	118	176	235	294	354	413	472	532
10	591	651	711	770	830	890	950	1 010	1 071	1 131
20	1 192	1 252	1 313	1 373	1 434	1 495	1 556	1 617	1 678	1 740
30	1 801	1 862	1 924	1 986	2 047	2 109	2 171	2 233	2 295	2 357
40	2 420	2 482	2 545	2 607	2 670	2 733	2 795	2 858	2 921	2 984
50	3 048	3 111	3 174	3 238	3 301	3 365	3 429	3 492	3 556	3 620
60	3 658	3 749	3 813	3 877	3 942	4 006	4 071	4 136	4 200	4 265
70	4 330	4 395	4 460	4 526	4 591	4 656	4 722	4 788	4 853	4 919
80	4 985	5 051	5 117	5 183	5 249	5 315	5 382	5 448	5 514	5 581
90	5 648	5 714	5 781	5 848	5 915	5 982	6 049	6 117	6 184	6 251
100	6 319	6 386	6 454	6 522	6 590	6 658	6 725	6 794	6 862	6 930
110	6 998	7 066	7 135	7 203	7 272	7 341	7 409	7 478	7 547	7 616
120	7 658	7 754	7 823	7 892	7 962	8 031	8 101	8 170	8 240	8 309
130	8 379	8 449	8 519	8 589	8 659	8 729	8 799	8 869	8 940	9 010
140	9 081	9 151	9 222	9 292	9 363	9 434	9 505	9 576	9 647	9 718
150	9 789	9 860	9 931	10 003	10 074	10 145	10 217	10 288	10 360	10 432
160	10 503	10 575	10 647	10 719	10 791	10 863	10 935	11 007	11 080	11 152
170	11 224	11 297	11 365	11 412	11 514	11 587	11 660	11 733	11 805	11 878
180	11 951	12 024	12 097	12 170	12 243	12 317	12 390	12 463	12 537	12 610
190	12 684	12 757	12 831	12 904	12 978	13 052	13 126	13 199	13 273	13 347
200	13 421	13 495	13 569	13 644	13 718	13 792	13 866	13 941	14 015	14 090
210	14 164	14 239	14 313	14 388	14 463	14 537	14 612	14 687	14 762	14 837
220	14 912	14 987	15 062	15 137	15 212	15 287	15 362	15 438	15 513	15 588
230	15 664	15 739	15 815	15 890	15 966	16 041	16 117	16 193	16 269	16 344
240	16 420	16 496	16 572	16 648	16 724	16 800	16 876	16 952	17 028	17 104
250	17 181	17 257	17 333	17 409	17 468	17 562	17 639	17 715	17 792	17 868
260	17 945	18 021	18 098	18 175	18 252	18 328	18 405	18 482	18 559	18 636

附录 7　超级恒温器使用说明(501 – OSY)

1. 用途

本超级恒温器适用于生物、化学、物理、植物、化工等科学研究,作精密恒温时直接加热或辅助加热之用,亦可作普通玻璃温度计及其他测温仪表制造中标定温度等用。

2. 结构概述

超级恒温器由外壳内外水套、电动循环泵、加热器、电接点式玻璃水银温度计及电控制器等部分组成。外壳由优质钢板制成,表面涂漆,内外水套由铜或不锈钢板制成,加热器为两根750WU 型电热管并联而成。温度自动控制元件为电接点式玻璃水银温度计,在 0 ~ 100 ℃ 范围内均可任意调节所需温度,电路控制部分采用可控硅元件组成的无触点开关,动作灵敏,运行可靠。

3. 主要技术指标

(1)电度范围:室温 +5 ~ 95 ℃ ;
(2)恒温波动度: ±0. 05 ℃ ;
(3)循环泵流量: >4l/ min ;
(4)电源:AC220 V, 50 Hz ;
(5)加热器功率:1 500 W ;
(6)工作室(内水套)尺寸: Φ175 × 185 mm ;
(7)外水套尺寸: Φ328 × 213 mm。

4. 使用方法

(1)在内外水套内注满水(水面低于容器口 15 mm 左右),外套从加水孔注水,内套打开盖后注水。水质以蒸馏水为宜,约 16 kg,若用自来水,必须每次清洗,以防积垢。忌用其他水源。

(2)将电接点式玻璃水银温度计悬挂在固定架上,将感温部分插入外水套。因玻璃易碎,故插入时要特别小心。将接线与控制箱上边的两个接线柱接好。

(3)温度设定:拧松电接点式玻璃水银温度计顶盖上的紧定螺钉,旋转顶盖,螺杆上的浮珠上下运动,视浮珠的上平面与实验所需的设定温度值对齐,随即拧紧顶盖上的紧定螺钉,则设定完毕。

(4)接通电源,开启电源开关,指示灯亮、加热器开始加热。开启电动泵开关,电动泵工作。待外层水套内达到设定温度、加热停止、指示灯灭。电接点式玻璃温度计下部显示实际温度。待一定时间后,内水套温度即与外水套温度一致,达到恒温状态。

(5)欲将外水套内水排出,需拧开箱体底部的放水螺栓。

(6)欲将小桶升降,须先松开升降杆的紧定螺钉后用手提取。

(7)上面盖板上装有螺旋管的进出气口(套有一根橡皮管的两个接嘴)、当实验所需使用温度略低于环境温度时、在有冷气供给的条件下,可由螺旋管的进气口不断进入冷气,以降低仪器内水温。

5. 注意事项和维护修理

(1)此箱工作电压为220 V,50 Hz,使用前必须注意所用电源电压是否相符,且必须将电源插座接地极按规定进行有效接地。

(2)在通电使用时,切忌用手触及电器控制箱内的电器部分或用湿布擦抹及用水冲洗。

(3)电源线不可缠绕在金属物上,不可放置在高温或潮湿的地方,防止橡胶老化以致漏电。

(4)因该仪器上面盖板为金属制成,故在使用温度高时切勿用手触摸盖板,以免烫伤。

(5)不得随便打开电器控制箱。维修时应由电工或修理人员修理,修理前必须切断电源。

(6)每次使用完毕,须将电源全部切断,并保持箱内外清洁。

(7)经常注水,工作状态下应保持内外水套内水面不低于容器口15 mm,否则电热管容易爆裂。水也不能注得太满,否则使用温度高时水会溢出。

6. 电气原理方框图(附图7.1)

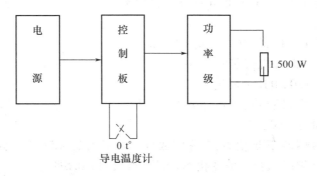

附图7.1

附录8 0.5级（D51型）电动系可携式瓦特表使用说明

1. 用途

D51型瓦特表为可携式交直流电动系仪表,用于直流电路及频率标准范围从45~65 Hz的交流电路中,精密测量电功率,也可作为校验低准确度等级仪表的标准表。仪表完全符合国际标准IEC51-84和行业产品质量分等规定的优等品要求,适用于环境温度23±10 ℃,相对湿度25%~80%,且空气中不含有能引起仪表腐蚀的环境中。

2. 主要技术特性

（1）仪表（附图8.1）量限及主要电气参数列于附表8.1。

（2）准确度等级:0.5级。

当使用条件符合下列情况时,仪表标度尺工作部分的基本误差不应超过上量限的±0.5%。

①标准温度:23±2 ℃;

②除地磁场外,周围没有其他铁磁性物质和外磁场;

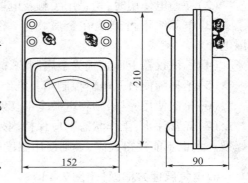

附图8.1 D51型瓦特表外形

③被测量为直流或45~65 Hz的正弦交流(波形畸变系数小于5%);

④仪表位于水平工作位置(允许偏差±1°);

⑤测量前用调零器调好机械零位;

⑥功率因数等于1.0,电压为额定值。

（3）标度尺全长:约110 mm,工作部分等于全长。

（4）阻尼响应时间:不超过4 s。

（5）仪表在电压频率为额定值时,功率因数自1.0变化至0.5(感性负载),同时电流为额定值的50%变化至100%时,指示值变化不超过上量限的±0.5%。

（6）位置影响:仪表自水平位置向任一方向偏离5°时,其指示值的改变不超过上量限±0.25%。

（7）温度影响:当环境温度自23±2 ℃改变±10 ℃时,改变量≤0.5。

（8）外磁场影响:通过与被试表同种类的电流所形成的强度为0.4 kA/m的均匀磁场,且在最不利方向和相位的情况下,由此引起仪表指示值的改变量不超过上量限 ±0.75%。

附表 8.1　D51 型瓦特表量限及主要电气参数

量　　限	消耗功率	仪表常数			
0.5 - 1 A 75 - 150 - 300 - 600 V	4.8 W	0.5 A/75 V	0.5 A/150 V	0.5 A/300 V	0.5 A/600 V
		0.5 瓦/格	1 瓦/格	2 瓦/格	4 瓦/格
		1 A/75 V	1 A/150 V	1 A/300 V	1 A/600 V
		1 瓦/格	2 瓦/格	4 瓦/格	8 瓦/格
2.5 - 5 A 75 - 150 - 300 - 600 V	4.8 W	2.5 A/75 V	2.5 A/150 V	2.5 A/300 V	2.5 A/600 V
		2.5 瓦/格	5 瓦/格	10 瓦/格	20 瓦/格
		5 A/75 V	5 A/150 V	5 A/300 V	5 A/600 V
		5 瓦/格	10 瓦/格	20 瓦/格	40 瓦/格
5 - 10 A 75 - 150 - 300 - 600 V	4.8 W	5 A/75 V	5 A/150 V	5 A/300 V	5 A/600 V
		5 瓦/格	10 瓦/格	20 瓦/格	40 瓦/格
		10 A/75 V	10 A/150 V	10 A/300 V	10 A/600 V
		10 瓦/格	20 瓦/格	40 瓦/格	80 瓦/格
0.5 - 1 A 48 - 120 - 240 - 480 V	3.8 W	0.5 A/48 V	0.5 A/120 V	0.5 A/240 V	0.5 A/480 V
		0.2 瓦/格	0.5 瓦/格	1 瓦/格	2 瓦/格
		1 A/48 V	1 A/120 V	1 A/240 V	1 A/480 V
		0.4 瓦/格	1 瓦/格	2 瓦/格	4 瓦/格
2.5 - 5 A 48 - 120 - 240 - 480 V	3.8 W	2.5 A/48 V	2.5 A/120 V	2.5 A/240 V	2.5 A/480 V
		1 瓦/格	2.5 瓦/格	5 瓦/格	10 瓦/格
		5 A/48 V	5 A/120 V	5 A/240 V	5 A/480 V
		2 瓦/格	5 瓦/格	10 瓦/格	20 瓦/格
5 - 10 A 48 - 120 - 240 - 480 V	3.8 W	5 A/48 V	5 A/120 V	5 A/240 V	5 A/480 V
		2 瓦/格	5 瓦/格	10 瓦/格	20 瓦/格
		10 A/48 V	10 A/120 V	10 A/240 V	10 A/480 V
		4 瓦/格	10 瓦/格	20 瓦/格	40 瓦/格

(9)绝缘电阻:仪表加约 500 V 直流电压 1 min 后电阻 ≥5 MΩ。

(10)绝缘强度:外壳对电路能耐受 45 ~ 65 Hz 正弦电压 2 V 一分钟,电流电路对电压电路耐受 500 V。

(11)外形尺寸:不大于 210 mm×152 mm×90 mm(见附图 8.1)。

(12)质量:不超过 2.2 kg。

3. 结构概述

本仪表具有矩形固定线圈、矩形可动线圈和带磁屏蔽的电动系测量机构。其屏蔽采用了高导磁率的铁镍合金。仪表可动部分采用张丝支承。为防止仪表受冲击使张丝拉断,采用了套管式限制器。仪表采用磁感应阻尼和具有减少视差的反射镜和玻璃丝指针读数装置。测量机构与能发生较大热量的附加电阻之间隔开。量限的改变用转换开关来实现。仪表的外壳是密封的。采用酚醛塑料压制,表盖上有玻璃窗口及调节指针回零位的调零器。仪表的原理线路如附图 8.2 所示。

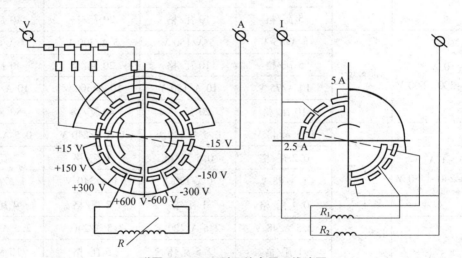

附图 8.2　D51 型瓦特表原理线路图

4. 使用规则

(1)仪表应水平放置,并尽可能远离大电流及强磁性物质。

(2)接入仪表前,按被测电流选用相应的导线,将仪表可靠地接入线路中。

(3)测量前利用表盖上的调零器将仪表的指针准确地调到标度尺的零位,并将转换开关转到相应于被测量值的量限上,尽可能先用较大的量限,以免使仪表过载,测量时当指针偏转少于上量限的 50% 时,可将转换开关转到较小的量限上。

(4)测量时应注意,当功率因数小于 1.0 时,虽然指针未达到满偏转也可能使仪表过载,此时应注意不能使并联电路的电压或串联电路的电流超过 120% 额定值两小时过载。

(5)当须扩大交流电流量限时,可配用 HL55 型电流互感器。此时被测量的数值按下式计算:

$$X = K \cdot C(\alpha + \Delta \alpha)$$

式中　K——电流互感器的变化,不用互感器时 $K = 1$;

　　　C——仪表常数,$C =$ 满偏转值／仪表标度尺的格数;

　　　α——仪表读数(格数);

　　　$\Delta \alpha$——相应读数分度线上的校正值(格数)。

5. 运输与保管

(1)运输仪表时必须包装好,避免仪表受到强烈振动。

(2)保存仪表的地方不应有灰尘,其环境温度为 $0 \sim +40$ ℃,相对湿度 85%,且在空气中不应含有足以引起腐蚀的有害杂质。

附录9　直流电位差计使用说明

(UJ33a 型)

上海电表厂

1. 概述

UJ33a 是测量精度为 0.05% 的直流携带式电位差计,可在实验室、车间及现场测量直流电压,亦可经换算后测量直流电阻、电流、功率及温度等。

本仪器可以校验一般电压表及有转换开关、经转换后可作为电压信号输出,对电子电位差计、毫伏计等以电压作为测量对象的工业仪表进行校验。

仪器有内附晶体管放大检流计、标准电池及工作电池,不需外加附件便可进行测量。同时避免了采用作为工作电源的电位差计的工业干扰,使测量工作正常进行。

仪器内附标准电池为 BC5 型不饱和标准电池,温度系数小,不必对其进行温度补偿,测试方便。

2. 主要技术指标

(1)本仪器全部符合 Q/YXYJ35—92《直流电位差计》标准。

(2)各主要指标:

量程因数	有效量程	分辨率	基本误差允许极限	热电势	检流计灵敏度
×5	0 ~ 1.055 0 V	50 μV	≤0.05% U_X +50 μV	≤2 μV	≥格/50 μV
×1	0 ~ 211.0 mV	10 μV	≤0.05% U_X +5 μV	≤1 μV	≥格/10 μV
×0.1	0 ~ 21.10 mV	1 μV	≤0.05% U_X +0.5 μV	≤0.2 μV	≥格/3 μV

注:校对"标准"时,工作电流相对变化 0.05% 时,检流计指针偏转大于 1 格。

(3)仪器使用条件:

温度参考值:20 ± 2 ℃;

温度标称使用范围:5 ~ 35 ℃;

相对湿度标称使用范围:25% ~ 75%。

(4)外壳对线路绝缘电阻 R_J > 100 MΩ。被测电压的最大源电阻为 1 kΩ。

(5)仪器工作电流 3 mA,标称工作电压 9 V,可用范围 5 ~ 12 V,由 6 节 1.5 V 干电池串联供电。

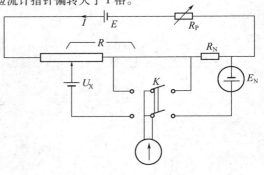

附图 9.1

（6）仪器能耐受 50 Hz 正弦波 500 V 电压历时 1 min 的耐压试验。

（7）外形尺寸：310 mm ×240 mm ×170 mm。

（8）质量：＜5kg。

3. 原理

本电位差计根据补偿法原理制成。

调节 R_p 阻值，当工作电流 I 在 R_N 上产生电压降等于标准电池电势值 E_N 时，如开关 K 打入右边，检流计便指零，此时工作电流便准确地等于 3 mA，上述步骤称为对"标准"。

测量时，调节已知的电阻 R，使其工作电流 3 mA 产生的电压降等于被测值 $U_X = IR$，如开关打入左边，检流计指零。从而由已知的 R 阻值大小来反映 U_X 数值。

详细原理线路图见附图9.2。

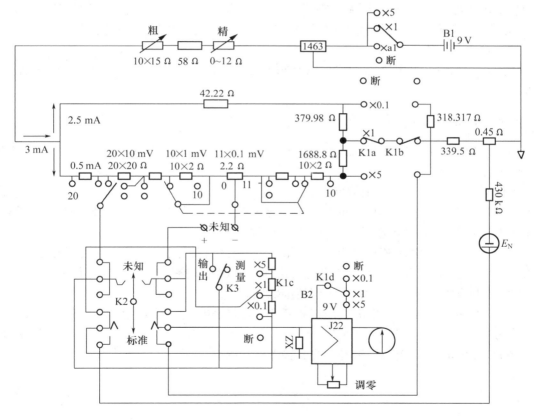

附图9.2

4. 使用说明

（1）测量未知电压 U_x

打开后盖，按极性装入 1.5 V 1 号干电池 6 节及 9V6F22 叠层电池 2 节，倍率开关从"断"旋到所需倍率。此时上述电源接通，2 min 后调节"调零"旋钮，使检流计指针示值为零。被测电压（势）按极性接入"未知"端钮，"测量/输出"开关放于"测量"位置，扳键开关扳向"标准"，调节"粗""微"旋钮，直到检流计指零。

扳键扳向"未知"，调节Ⅰ，Ⅱ，Ⅲ测量盘，使检流计指零，被测电压（势）为测量盘读数与倍率乘积。

测量过程中，随着电池消耗，工作电流变化。所以连续使用时经常核对"标准"，使测量精确。

（2）作信号输出

按上述步骤，在对好"标准"后，将"测量/输出"开关旋到"输出"位置（即检流计短路）。选择"倍率"及调节Ⅰ，Ⅱ，Ⅲ测量盘，扳键放在"未知"位置，此时"未知"端钮两端输出电压值即为倍率与测量示值的乘积。

使用完毕，"倍率"开关放"断"位置，免于两组内附干电池的无谓放电。若长期不使用，将干电池取出。

5. 维护保养和注意事项

（1）仪器应存放在周围空气温度为 5～35 ℃，相对湿度小于 80% 的室内，空气中不应含有腐蚀性气体。

若仪器长期不用，将干电池取出。

（2）仪器若无法进行校对"标准"，则应考虑 9 V 工作电源寿命已完所致。打开仪器底部两个大电池盒盖，依正负极性放入 6 节 1 号干电池。

（3）使用中，如发觉检流计灵敏度显著下降或没有偏转，可能因晶体管检流计电源 9 V 电池寿命已完毕引起，打开仪器底部小电池盒盖，插入 6F229V 叠层电池两节，进行更换。

（4）仪器应每年计量一次，以保证仪器准确性。

（5）长期搁置仪器再次使用时，应将各开关、滑线旋转几次，减少接触处的氧化影响，使仪器工作可靠。

（6）仪器内部应保持清洁，避免阳光直接曝晒和剧震。

附录 10 数字电位差计使用说明

（UJ33D－2型）
上海电表厂

1. 概述

（1）产品特点和用途

UJ33D－2型数字电位差计是传统直流电位差计更新换代型产品,它采用先进的数字化、智能化技术同传统工艺相结合,使产品具有以下特点:

①数字直读发生和测量电压值;

②可直读对应于输出或测量毫伏值的5种常用热电偶分度号的温度值,省却使用者查表之麻烦;

③输出标准电压信号可带负载,直接校验各种低阻抗仪表;

④采用四端钮输出方式,消除小信号输出时测量导线产生的压降误差;

⑤内附精密基准源,去除标准电池,避免环境污染,同时省却反复对标准要求,方便用户操作;

⑥带 RS－232 标准接口,可与计算机通信。

产品在使用功能上完全覆盖原直流电位差计 UJ33a,UJ33a－1 等产品,可对热电偶和传感器、变送器等一次元件输出的毫伏信号进行精密检测,也可作为标准毫伏信号源直接校验各种变送器和数字式、动圈式仪表。产品采用 CMOS 电路和 LCD 数显,功耗小,采用便携式机箱,内附工作电源电池盒,便于携带,适用于生产现场、野外作业和实验室使用。

（2）产品型式、规格

①型式:产品系便携式数显直流仪器。

②规格:直流信号输入输出量程为 0～1 999.9 mV

（3）型号的组成及代表意义:UJ——电位差计

33——直流仪器顺序号

D——数字直读

2——系列产品顺序号

（4）使用条件

①环境温度:20±15 ℃。

②相对湿度:80% 以下。

③工作电源:1.5 V 1 号干电池 8 节,或外接 9 V 直流电源。

2. 结构特征及工作原理

（1）结构特征

产品采用直流仪器通用型便携式机箱,性能坚固可靠,面板及底座面结构排列图如附图
10.1 所示。

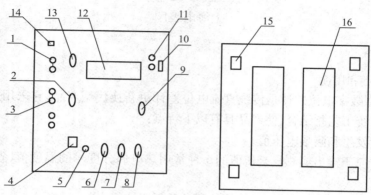

附图 10.1　面板、底座面结构排列图

1—信号端钮;2—功能转换开关;3—导电片;4—电源开关;5—外接电源插座;6—调零旋钮;7—粗调旋钮;

8—细调旋钮;9—量程转换开关;10—温度直读开关;11—发光指示管;12—LCD 显示器;

13—分度号选择开关;14—RS－232 接口针座;15—底座搁脚;16—电池盒

（2）工作原理

产品工作原理框图如附图 10.2 所示。

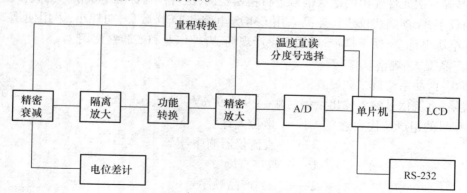

附图 10.2　工作原理框图

电位差计发生稳定直流电压经精密衰减、隔离放大后由四端方式输出,量程转换选择所需
测量输出量程范围,功能转换选择输出或测量方式,测量或输出信号经精密放大后送 A/D 转

换成数字信号经单片机处理后由 LCD 数字直读显示和送 RS232 通信口。

3. 技术特性

（1）主要性能参数

产品在参考条件下环境温度 20 ± 2 ℃,环境湿度 $45\% \sim 75\%$ RH,主要技术指标符合附表 10.1 的规定。

附表 10.1

量程	测量、输出范围	基本误差	分辨率	额定负载
2 V	$0 \sim 1999.9$ mV	$\pm (0.05\% U_X + 200 \; \mu V)$	$100 \; \mu V$	2 mA
200 mV	$0 \sim 199.99$ mV	$\pm (0.05\% U_X + 20 \; \mu V)$	$10 \; \mu V$	2 mA
20 mV	$0 \sim 19.999$ mV	$\pm (0.05\% U_X + 2 \; \mu V)$	$1 \; \mu V$	2 mA
*50 mV	$0 \sim 49.999$ mV	$\pm (0.05\% U_X + 6 \; \mu V)$	$3 \; \mu V$	2 mA
（分度号）	温度直读范围			
K	$0 \sim 1\,230.0$ ℃	$\pm (0.1\% T_X + 0.2 \; ℃)$	0.1 ℃	
E	$0 \sim 660.0$ ℃	$\pm (0.1\% T_X + 0.2 \; ℃)$	0.1 ℃	
J	$0 \sim 860.0$ ℃	$\pm (0.1\% T_X + 0.2 \; ℃)$	0.1 ℃	
S	$0 \sim 1\,768.0$ ℃	$\pm (0.1\% T_X + 1 \; ℃)$	0.5 ℃	
T	$0 \sim 380.0$ ℃	$\pm (0.1\% T_X + 0.2 \; ℃)$	0.1 ℃	

（2）温度附加误差

在额定使用温度范围内,温度每变化 10 ℃ 而引起的变差不超过基本误差允许极限的 100%。

（3）量程过载指示

当输出或测量 mV 信号超过量程满幅范围时,仪表以全"0"闪烁方式显示,当温度信号超过量程满幅范围时,仪表以全"1"闪烁方式显示,此时应减小调节输出或输入信号直至正常读数。

（4）消耗功率:小于 0.6 W。

4. 尺寸、质量

（1）外形尺寸:310 mm × 240 mm × 170 mm。

（2）质量:不大于 4 kg。

5. 操作方法

（1）输出

接线方式如附图 10.3 所示。按下电源开关至"1"，或插上外接 9 V 直流电源（外接电源插头正负极性见附图 10.4 示），显示屏立即显示读数，注意信号端钮和短路导电片必须旋紧，功能转换开关旋置"输出"，量程转换开关旋置合适量程，调节粗、细调电位器即可获得所需量值的稳定电压。

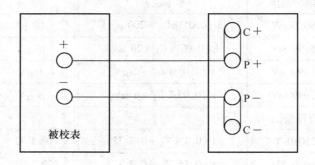

附图 10.3 输出方式接线图

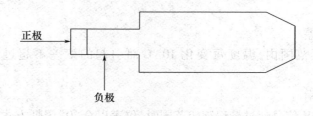

附图 10.4 外接电源插头正负极性

在 200 mV,2 V 挡使用时不需预热，开机即可获得符合精度要求的电压输出。在 20 mV,50 mV 挡量程使用应有 5 至 10 min 预热时间，并在使用前调零。在校验低阻抗仪表时应采用四端钮输出方式，以消除测量导线压降带来的读书误差，此时应去掉信号端钮上短路导电片，接线方法如附图 10.5 所示，仪表显示读数即为被校表输入端子上的实际电压值。

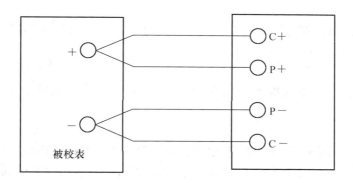

附图 10.5　四端钮输出方式接线

（2）测量

如附图 10.6 接线，在 20 mV，50 mV 挡量程测量时调零，功能转换开关置"测量"，选择合适量程，显示读数即为被测电压值。

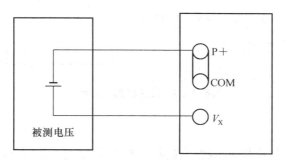

附图 10.6　测量方式接线图

（3）保护端方式

仪器在使用时由于环境共模干扰引起跳字，不稳定，这时应将输入、输出低端（COM）同仪器保护端（G）相连接，如附图 10.7 所示。

（4）温度直读

功能转换开关根据需要置"测量"或"输出"，接线方法同测量或输出方式，分度号选择开关置所需热电偶分度号位置，量程选择置 20 mV（S，T）或 50 mV（K，E，J），"温度直读"开关拨到向上位置，即显示当前测量或发生毫伏值对应所选择分度号的温度读数。量程选择若置于 200 mV 或 2 V 挡时，仪器将以全"2"闪烁方式显示，提示应选择正确量程。

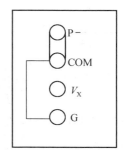

附图 10.7　保护端连接

（5）调零

功能转换开关旋置"调零"，量程开关根据需要选择 20 mV 或 50 mV 挡，调节调零电位器使数字显示为零。

（6）电池检查

功能选择开关旋置"电池检查"，量程旋置 2 V 挡，当显示读数低于 1.3 V 时应考虑更换电池。

（7）通信接口

如附图 10.8 所示用标准 RS232 接口线联结 UJ33D－2 与 PC 机 RS232 接口先后接通仪器和 PC 微机电源，在 PC 机上运行串口通信程序，可以在计算机显示屏上读到仪器测量或发生的数据。联机时，波特率设置为 9 600 db，8 位数据位，无校验，两位停止位。

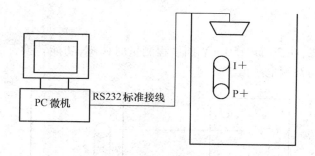

附图 10.8　计算机通信接线图

（8）关机

按下电源开关至"0"，或拔去外接电源插头，仪器即停止工作，仪器若长期不使用，应将底部电池盒内电池取出。

6. 故障分析与排除（附表 10.2）

附表 10.2　故障分析与排除

故障现象	原因分析	排除方法	备注
开机无显示	（1）电池未装好 （2）其他	检查纠正 送厂方修理	
显示严重跳字	（1）电池接触不良或电池用完 （2）信号端钮与短路导电片未旋紧 （3）其他	检查纠正 检查纠正 送厂方修理	
闪烁显示	（1）信号端钮与短路导电片未旋紧 （2）其他	检查纠正 送厂方修理	

7. 维护与保养

为了保证产品的使用准确性应定期进行复校,用 0.01 级以上数字电压表或电位差计对产品进行校验。产品存放在环境温度为 0～40 ℃,相对湿度 80% 以下,在空气中不含足以引起腐蚀的气体或杂质。

附录 11 倾斜式微压计使用说明(YYT – 200B)

1. 用途

YYT – 200B 倾斜式微压计是实验室和工厂试验站用的携带式仪器,供测量 2 000 Pa 以下的气体的表压、负压或差压之用。

仪器适合在周围气温为 10 ~ 30 ℃,相对湿度不大于80% ,以及被测气体对黄铜及钢材无侵蚀作用的条件下使用。

2. 工作原理

YYT – 200B 倾斜式微压计是一种可见液体弯面的多测量范围液体压力计,如附图 11.1 原理示意图所示,当测量表压时,需要测量压力的空间和宽广容器相连通,而当测量负压时则与倾斜管相连通,在测量差压的情况下,则把较高的压力和宽广容器连通,而把较低的压力和倾斜管连通。

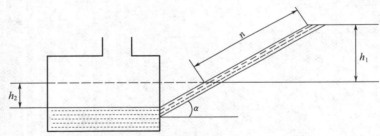

附图 11.1 原理示意图

设在所测压力的作用下,与水平线之间有倾斜角度 α 的管子内的工作液体在垂直方向升高了一个高度 h_1,而在宽广容器内的液面下降了 h_2,那时在仪器内工作液体面的高度差将等于

$$h = h_1 + h_2 \tag{1}$$

式中

$$h_1 = n \times \sin\alpha \tag{2}$$

假如 F_1 为管子的截面积,而 F_2 为宽广容器的截面积,那么

$$n \times F_1 = F_2 \times h_2 \tag{3}$$

也就是在倾斜管内所增加的液体体积等于宽广容器内所减少的液体体积。

把式(2)和式(3)所算出的 h_1 及 h_2 的数值代入式(1)中,可得到

$$h = n \times (\sin\alpha + F_1/F_2)$$

或

$$P = n \times (\sin\alpha + F_1/F_2) \times r \times g$$

式中　P——所测液柱高度产生的压力,Pa;

　　　n——倾斜管上的读数,mm;

　　　r——工作液体的密度,g/cm^3;

　　　g——重力加速度,m/s^2。

3. 结构

　　YYT-200B 倾斜式微压计是测量管倾斜角度可以变更的压力计,它的结构如附图 11.2 所示,在宽广容器(10)中充有工作液体(酒精),与它相连的是倾斜测量管(8),在倾斜测量管上标有长为 258 mm 的刻度。

　　宽广容器装牢在有三个水准调节螺钉(9)和一个水准指示器(2)的底板(1)上,在底板上还装有弧形支架(3),用它可以把倾斜测量管固定在五个不同倾斜角度的位置上,而得五种不同的测量上限值,刻在支架上的数字 0.2,0.3,0.4,0.6,0.8 表示常数因子$[(\sin\alpha + F_1/F_2) \times r]$的数值。

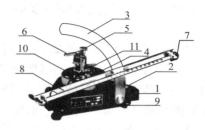

附图 11.2　YYT-200B 倾斜式微压计
1—底板;2—水准指示器;3—弧形支架;
4—加液盖;5—零位调整旋钮;
6—阀门柄;7—倾斜测量管;8—水准调节螺钉;
9—宽广容器;10—多向阀门

　　把工作液体的液面调整到零点,是借零位调整旋钮(5)调节浮筒浸入工作液体的深度,来改变宽广容器(10)内酒精的液面,而将测量管内的液面调整到零点。

　　在宽广容器上装有多向阀门(11),用它可以使被测压力与容器相通,或与测量管相通。

　　仪器的水准位置可根据底板上的水准指示器用底版左右两个水准调节螺钉来定准。

4. 主要的技术数据

　　(1)测量上限值,标尺上最小分度值及常数因子见附表 11.1。

附表 11.1

测量上限值/mm	标尺上最小分度值/mm	常数因子
50	0.2	0.2
75	0.3	0.3
100	0.4	0.4
150	0.6	0.6
200	0.8	0.8

（2）精度等级:0.5 级和 1.0 级两种;

（3）最大工作压力:10 000 Pa;

（4）标称工作液体（酒精）的密度,0.810 g/cm³;

（5）标定温度:为 15～25 ℃内任一温度,其温度变化:精确度 0.5 级压力计不超过 1 ℃,精确度 1 级压力计不超过 2 ℃;

（6）外形尺寸:330 mm×200 mm×230 mm;

（7）质量:约 2.5 kg。

5.仪器的使用

（1）使用时将仪器从箱内取出,放置在平且无振动影响的工作台上,调整仪器底板左右两个水准调节螺钉,使仪器处于水平的位置,将倾斜测量管按测量值固定在相应的常数因子值上。

（2）旋开宽广容器上的加液盖,缓缓地加入密度为 0.810 g/cm³ 的酒精,使其液面在倾斜测量管上的刻线始点附近,然后把加液盖仍安在原位,将阀门柄拨在"测压"处,用橡皮管接在阀门的"＋"压接头上,轻吹橡皮管,使倾斜测量管液面上升到接近于顶端处,排出存留在宽广容器和倾斜测量管道之间的气泡,反复数次,至气泡排尽为止。

（3）将阀门柄仍拨回"校准"处,旋动零位调整旋钮校准液面的零点。若旋钮已旋至最低位置,但仍不能使液面升至零点,则所加入的酒精过少,应再加入酒精,使液面升至稍高于零点处,再用旋钮校准液面至零点,反之则所加的酒精过多,可轻吹套在阀门"＋"压接头上的橡皮管,使液面从倾斜测量管的上端接头溢出多余的酒精。

（4）测量时把阀门柄拨在"测压"处,如被测压力高于大气压力时,将被测量的压力管子接在阀门的"＋"压接头上;如被测压力低于大气压力时,应先将阀门中间的接头和倾斜测量管上端的接头用橡皮管接通,将被测量的管子接在阀门的"－"压接头上;如测量压力差时,则将被测的高压管接在阀门的"＋"压接头上,被测压力的低压管接在阀门的"－"压接头上,阀门中间的接头和倾斜测量管上端的接头用橡皮管接通。

（5）在测量过程中,如欲校对液面零位是否符合,可将阀门柄拨至"校准"处进行校对。

（6）使用以后,如短期内仍需继续使用,则容器内所储的酒精无需排出,但必须把阀门柄拨至"校准"处,以免酒精蒸发和密度变动,如需排出容器内所储的酒精,则把阀门柄拨在"测压"处,将盛放酒精的器皿置于倾斜测量管上端的接头处,轻吹套在阀门的"＋"压接头上的橡皮管,使酒精沿倾斜测量管从上端的接头排出,直至排尽为止。

6.注意事项

（1）在读数时,必须把倾斜测量管上的读数乘以弧形支架上的常数因子。

（2）填充酒精时,所供酒精的密度必须与仪器铭牌上所标明的酒精密度相符,若工作液体

与标称密度不同时,应根据下式进行换算:

$$h = h_1 \times r_1/r$$

式中　h——实际液柱高度, mm;

　　　h_1——读出液柱高度, mm;

　　　r——工作液体标称密度, g/cm^3;

　　　r_1——工作液体实际密度, g/cm^3。

7. 仪器的维护

(1)搬动仪器时,着力应在底板上,切不可携带弧形支架,以防变动支架的位置,影响仪器的精度。

(2)仪器使用以后,应仍放在木箱内,并用箱盖盖好,以防尘埃且方便搬移。

(3)仪器不能放置在高温或潮湿的室内。

8. 计算

按国家计量标准规定,计量单位要按国际单位制 Pa 进行,因此测试结果必须按国际单位制进行换算。现只要把各个量代入下列公式,即可得到法制计量的压力量值

$$P_{法} = Pg\rho(1 - \rho'/\rho) \times 10^{-3}$$

式中　$P_{法}$——液体压力仪器测试所得压力值, Pa;

　　　P——液体压力仪器所测水柱高度值, mm;

　　　g——仪器使用地点的重力加速度, m·s^{-2};

　　　ρ——压力仪器使用温度下的纯水密度, kg·m^{-3};

　　　ρ'——使用仪器环境温度下的空气密度, kg·m^{-3}。

附录 12　压力表校验器使用说明
（CJ6 型、CJ60 型）

1. 用途

压力表校验器适用于用标准表校验各种普通压力表。

2. 结构原理

压力发生系统是由一个螺杆、一个容器、两个阀门、一个油容器阀门组成彼此用导管连通。见附图 12.1。

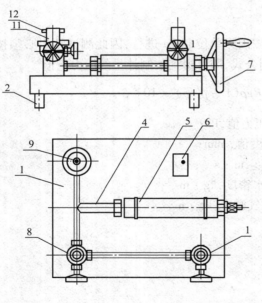

12	胶 木 手 柄
11	连 接 螺 母
10	阀　　　3
9	油 容 器 阀 门
8	阀　　　2
7	压 力 泵 手 轮
6	铭　　　牌
5	压　力　泵
4	连　接　管
2	支　　　脚
1	底　　　盘
序号	名　　　称

附图 12.1

3. 外形尺寸

长×宽×高:500 mm×300 mm×160 mm。

4. 使用须知

（1）仪器使用时必须放在坚固平稳的工作台上，并不受任何震动。

（2）操作时首先将仪器四脚调平。

（3）检查油杯油量将油阀打开，如油量不够时应加进洁净的油然后将盖盖好。

（4）开启阀 9 并右旋压力泵手轮将油缸内的空气压出。

（5）左旋压力泵手轮使油缸容器充满液体后，再关闭油阀 9。

（6）在校表时将标准表装在阀 2 上，将被校表装在阀 3 的连接螺母上，然后右旋压力泵手轮使容器造成一定的压力，开启阀 2 阀 3，比较标准表和被校压力表的示值。

5. 维护保管

（1）仪器使用时的环境温度 +10 ~ +30 ℃。

（2）仪器应保存在周围环境温度为 +5 ~ +35 ℃，空气相对湿度不大于 80%，洁净而干燥的室内。

（3）仪器使用之油类，必须纯净无杂质无酸性，用过的油必须经过过滤或沉淀除去其污秽部分后方准使用。

（4）用过后的仪器必须擦干净，用仪器罩盖好，如暂时不用的仪器可在仪器上涂上防锈油然后装箱存放。

6. 仪器使用的液体

0 ~ 6 MPa 用变压器油；

0 ~ 60 MPa 用蓖麻油。

附录 13　喷管实验分析仪使用说明

PG－Ⅲ喷管实验分析仪使用说明

本系统是在原 PG－Ⅰ型的基础上研制完成,主要用于热工实验教学与喷管的分析研究。

1. 系统的特点

(1)功能较全,使用方便。采用了可视化界面,虚拟仪器的方法,数据采集过程全部由计算机控制,达到数显绘图同步,调试过程简单、易掌握。

(2)提供了 offices 的 Excel 接口。测量的数据可以形成 Excel 文件格式的报告,多条曲线可以显示在同一坐标内,随时存储、打印、调用、处理数据,幅面任意选取,极为方便。

(3)连接简单。由于利用了计算机打印并口作为数据采集与控制通路,不再需要专用的数据采集卡,因而不必打开计算机机箱,同时也克服计算机数据采集卡兼容性的问题。

2. 本系统的组成

本系统由喷管本体、传感器集线盒、采集与程控机箱、计算机四部分组成。其中传感器集线盒、采集与程控机箱、计算机并口由计算机打印共享线(DB25M)连接。系统组成框图如附图 13.1 所示。

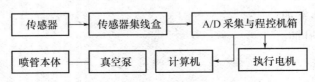

附图 13.1　系统组成框图

(1)本体的构成如文中的图 3.15。

(2)传感器集线盒的组成由传感器集线盒面板和内部集线电路板构成,如附图 13.2 所示。

(3)采集与程控机箱的组成(附图 13.3,附图 13.4)

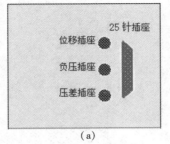
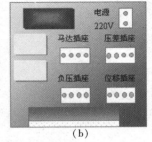

附图 13.2　传感器集线盒

(a)传感器集线盒面板;(b)传感器内部集线电路板示意图

附图 13.3　采集与程控机箱背板示意图

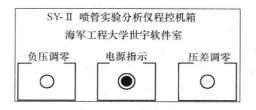

附图 13.4　采集与程控机箱面板示意图

3. 本系统所用到的公式

（1）压力测量公式

$$p = p_a - p_v$$
$$p_1 = p_a - p_{t0}$$

式中　p_a——标准大气压；

　　　p_v——负压传感器测量出的喷管探针处真空度；

　　　p_{t0}——喷管入口处的真空度；

　　　p_1——喷管入口处的绝对压力值。

（2）流量测量公式

在常温、常压的环境下：

$$m = 4.383\,65 \times r \times \sqrt{\Delta p} \times 10^{-2}$$

式中　Δp——压差，kPa；

　　　r——孔板流量计任何修正系数（经计量确认）。

4. 操作步骤

测量前准备：

在第一次使用本设备时，需要安装喷管的本体以及相应的软件与硬件。

（1）软件的装入过程。打开计算机，插入配套磁盘（或配置的光盘），双击 setup. exe 文件，按提示完成应用程序的安装。若计算机未装入 offices 的 Excel,请安装此系统,否则就不能充分利用 Excel 的功能,制作"喷管实验报告"。

软件安装完成,会出现"软件安装成功"的提示。

(2)硬件的安装与准备。安装喷管的本体时,需要检查 U 型压差计、孔板、喷管的密封情况,支撑架是否使系统处于水平。同时还要检查当"位移指示指针"对准"位移坐标板"的零刻度时,探针的测压孔是否正好在喷管的入口处。在开启真空泵前,需打开罐前的调节阀,将真空泵的飞轮盘车 1～2 转,同时注意打开真空泵的冷却水阀。请参见正文中图 3.15 的喷管本体总图。

(3)反馈线的连接。断开电源,将"位移传感器""负压传感器""压差传感器"的 4 芯航空插座分别连接到"传感器集线盒"面板相应的航空插座上。DB25－25 针连接电缆分别接到"传感器集线盒"面板与"采集与程控机箱"背板右边的插座上,以及另一根 DB25－25 针连接电缆接到"采集与程控机箱"背板左边的插座与计算机上。注意两根 DB25－25 针连接电缆不得接错,否则可能烧毁设备。请参见采集与程控机箱背板示意图(附图 13.3)。

(4)测量软件的进入。完成以上操作步骤以后,打开电源,运行喷管实验分析软件,在首页闪动的字体"喷管实验分析"的字符上,按下鼠标右键,出现提示菜单,进入"测试控制面板",第一次测量时,如附图 13.5 所示,需要作传感器的零点与标定系数的标定,具体的标定方法,参见传感器的零点与标定系数的标定,通常新购全套设备在出售前已设置好,无需用户重新标定传感器标定系数,不过传感器的零点通常在测量前需要与过去所调整的零点值进行比较,若需要调整可以通过附图 13.4 所示的负压调零与压差调零电位器来加以调整。调整后的数据请输入到相应的对话框中,若要保存这些数据,需输入授权修改口令,然后选择对应的"记忆按钮"。

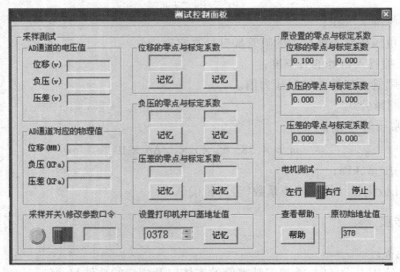

附图 13.5　测试控制面板的界面

5. 位移压力曲线的测量

（1）计算机进入测量"压力位移曲线"界面，按下电机行进开关按钮，使"位移指示指针"对准"位移坐标板"的零刻度。

（2）开启真空泵，调整罐前的调节阀，使喷管的背压为某个值。按下数据采集开关，这时，压力位移曲线会随着电机的行进渐渐地在计算机屏幕中显示出来，同时，还会显示当前的位移值与负压值。当水平位移值达到 50 mm 时，电机会自动停止，并给出相应的提示，请参见附图13.6。

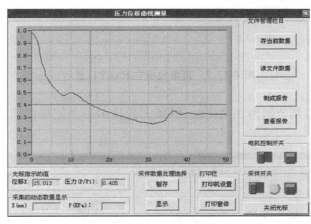

附图 13.6　压力位移曲线

（3）若按下"保存数据"按钮，整条曲线数据，将会保存起来。

（4）若按下"暂存曲线"按钮，整条曲线会被暂存起来，这样做的目的是为了在同一坐标下显示多条曲线。

（5）若按下"制作报告"按钮，当前所有实验参数和测量数据将会在 EXCEL 显示出来，同时还会把测量曲线给 EXCEL，结果参见附图13.7 。

（6）若调整罐前的调节阀，改变喷管的背压值，重复以上步骤，便可得到一组位移压力曲线。

6. 压力流量曲线的测量

（1）计算机进入测量"压力流量曲线"界面。按下电机行进开关按钮，将"位移指示指针"移至"位移坐标板"大于 40 mm 刻度处。

（2）逐渐关闭罐后的压力调节阀，按下数据采集开关，这时，压力流量曲线会随着压力调节阀渐渐的关闭在计算机屏幕中显示出来，同时，还会显示当前的压差值与流量值。

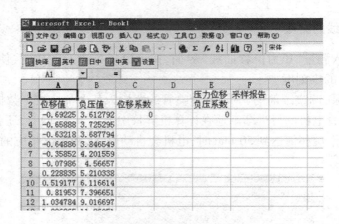

附图 13.7　测量数据在 EXCEL 显示

（3）当罐后的压力调节阀彻底关闭时,屏幕上会显示一条完整的压力流量曲线。结果参见附图 13.8。

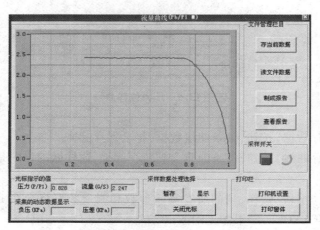

附图 13.8　压力流量曲线

7. 注意事项

（1）本系统只需计算机的最低配置(586,16 M 以上内存),使用时需连接好计算机与喷管实验分析仪程控机箱的接口,否则不能正常采集。

（2）更换传感器时,重新进行数据采集,需要重新设置标定系数与零点。若发现采集的数据随着信号的增强而减小,有可能是传感器的输出极性与原来的传感器极性相反,这时需要调整附图 13.3 所示的面板的接线的位置,通常是将插卡的 3,4 接线位置对调。

(3)本系统工作在"Windows 9X"操作环境。

8. 回答问题

(1)发现采集信号的通道不对,如何处理?

答:四芯的位置不对,参见附图 13.2,将航空接头的位置对调即可。

(2)出现"程序错误,请与程序提供商联系"等提示,如何处理?

答:参见注意事项(3)的提示。

(3)采集不了信号,如何处理?

答:立即切断"集线箱"与"程控机箱"的电源,检查 DB25 针连接线是否接错。

(4)若想在一个坐标图上显示多个采集数据,如何处理?

答:每次采集完数据后,按下"暂存"按钮,然后按下"显示"按钮。

9. 传感器的零点与标定系数的标定

标定分为对零点输出的标定与标定系数的标定两类。

(1)零点输出:指传感器的输入信号为零时,传感器因零点漂移,经过放大器放大后,得到的电压输出量,因这个输出量不是真正的输入信号产生的,故必须减去。负压输出与压差输出的零点可以通过调零电位器的调整来获得近似的零输出。

(2)标定系数:指传感器的(该物理量可以是位移、压差、负压)与该物理量所对应的电信号电压值(单位为伏)之比。这里信号电压值指的是 AD 板上获得的数字电压。标定系数又分为位移标定系数、压差标定系数、负压标定系数三种。

位移标定系数 KX:位移量与该位移量对应的电信号电压值之比。注意该位移量对应的电信号电压值是减去了位移量零点输出的值,其量纲为 mm/V。

数学表达式:$KX = X/(Vx - Vxo)$。

负压标定系数 KNP:位移负压真空表的负压量 NP(位移真空表的读数)与该负压量对应的电信号电压值 Vnp 之比。注意该负压量对应的电信号电压值是减去了负压传感器零点输出 $Vnpo$ 的值,其量纲为 kPa/V。

数学表达式:$KNP = NP/(Vnp - Vnpo)$。

压差标定系数 KDP:U 型压差表的压差量 DP(DP 的单位为 Pa)与该压差量对应的电信号电压值 Vdp 之比。注意该压差量对应的电信号电压值是减去了压差传感器零点输出 $Vdpo$ 的值,其量纲为 kPa/V。

数学表达式:$KNP = DP/((Vdp - Vdpo) * 1\,000)$。

注意:为了获得较高的精度标定系数一般取多点(10 点左右)的均值。

下列是其中的一组典型标定系数:

$$KX = 34.84$$
$$KNP = 26.21$$
$$KDP = 1.21$$

10. 设备清单

喷管主体硬件部分组成如下:本体一套;U 型压差计一个;孔板流量计一个;动装置一套;精密真空表两块;减震橡胶接管一支;负压、差压传感器各一支。

喷管测控部分组成如下:喷管实验分析仪程控机箱一台;集线盒一个;DB25 – 25 针连接电缆两根;HK4 – 5 芯航空插座;喷管实验软件光盘一张。

辅助设备:真空泵一台。

参 考 文 献

[1]沈维道,童均耕. 工程热力学(第4版)[M]. 北京:高等教育出版社,2009.

[2]徐大中. 热工测量与实验数据整理[M]. 上海:上海交通大学出版社,1991.

[3]林其勋. 热工与气动的测量[M]. 西安:西北工业大学出版社,1995.

[4]朱明善. 工程热力学[M]. 北京:清华大学出版社,1998.

[5]涂颉,章熙民. 热工实验基础[M]. 北京:高等教育出版社,1986.

[6]江体乾. 化工数据处理[M]. 北京:化学工业出版社,1984.

[7]贝文顿 P. R. 数据处理和误差分析[M]. 仇维礼,徐根兴,赵恩广,等,译. 北京:知识出版社,1986.

[8]严兆大. 热能与动力机械测试技术[M]. 北京:北京机械工业出版社,1999.

[9]张子慧. 热工测量与自动调节[M]. 北京:中国建筑工业出版社,1987.